# DIRIGER EST UN ART

Dans la même collection :

*Tout ce que vous n'apprendrez*
*jamais à Harvard*
Mark H. McCormack

*Les Gagneurs*
*Leurs stratégies, leurs entreprises, leurs réussites*
Carter Henderson

*Marché conclu*
*Les Stratégies de la*
*négociation en affaires*
Gary Karrass

*Le Mal européen*
Jacques Nemrod

*Intuition et management*
Roy Rowan

*La Coévolution créatrice*
Silvère Seurat

*La Communication, c'est comme le chinois,*
*cela s'apprend*
Annick Oger-Stefanink

*Manuel du chercheur d'emploi*
Annick Oger-Stefanink

*L'Information,*
*un nouvel outil de management pour gagner*
*dans le monde des affaires d'aujourd'hui*
Herbert Meyer

*Gérez votre réussite*
Annick Oger-Stefanink

Max De Pree

# DIRIGER EST UN ART

traduit de l'américain
par Marie-Caroline Aubert

Rivages/*Les Echos*

Titre original : *Leadership Is An Art*

ISBN 2-86930-329-7

27, rue de Fleurus, 75006 Paris
10, rue Fortia, 13001 Marseille

Remerciements

Editeur
Clark Malcolm

Critiques sincères
Jody Handy
Lewis Smedes
Patrick Thompson

Collaborations
Tous ceux qui, chez Herman Miller et ailleurs, m'ont enseigné et continuent de m'enseigner l'art de diriger une entreprise.

# SOMMAIRE

# AVANT-PROPOS

## Historique, être patron, perspectives de la vie d'entreprise

J'aimerais pouvoir dire que j'ai été le premier à remarquer combien Herman Miller, Inc. était une société brillamment dirigée. Mais en vérité, cela faisait longtemps que ce n'était plus un secret pour personne. Cette société, fondée en 1923 par D. J. De Pree, n'a pas cessé, depuis les années 30, de provoquer des vagues d'excellence et d'innovation.

Après avoir terminé la lecture de ce merveilleux ouvrage de Max De Pree (le fils de D. J. et l'actuel président-directeur-général de Herman Miller), je me suis efforcé de retrouver dans ma mémoire le moment où j'ai pris conscience pour la première fois de l'existence de l'entreprise. Il me semble que j'ai dû m'asseoir pour la première fois dans un siège de Charles Eames au début des années 50. Mais comme j'étais alors tout au plus âgé de sept ou huit ans, je doute fort que l'on m'ait dit que le chef-d'œuvre de confort et d'élégance dans lequel j'étais confortablement enfoui avait été fabriqué par une société nommée Herman Miller. Et je ne devais apprendre que beaucoup plus tard que les prototypes originaux du siège de Charles Eames se trouvaient dans les collections permanentes du Musée d'Art Moderne de New York et du Musée des Arts Décoratifs du Louvre.

Mais si j'effectue un retour en arrière d'une trentaine d'années dans ma mémoire, je sais que je connaissais suffisamment le nom de Herman Miller pour n'avoir éprouvé aucune surprise, en 1983, quand la société fut choisie par Milton Moskowitz et ses collègues pour figurer parmi "les cent entreprises américaines pour lesquelles il faut travailler." Cela m'a semblé à l'époque être un choix évident. Ah ! Et maintenant, je me souviens pourquoi ! J'ai entendu parler de Herman Miller pour la première fois en 1972. C'est l'année où l'Amérique a réagi au défi industriel japonais et où l'on a envoyé des centaines de consultants dans mon genre trotter un peu partout pour découvrir des moyens susceptibles d'améliorer la productivité américaine. Cette année-là, j'ai "découvert" le plan Scanlon, cette méthode "efficace et humaine" qui incitait les travailleurs à améliorer la quantité et la qualité de leur production.

L'idée de Scanlon était toute simple : quand des ouvriers suggèrent un moyen d'améliorer la productivité, ils reçoivent une partie des bénéfices financiers qui résultent de leur contribution. Quand j'ai entendu parler du plan Scanlon, j'ai trouvé que c'était une idée brillante, et c'est toujours mon avis. Seulement voilà, j'ai aussi découvert, en 1972, que Herman Miller appliquait la méthode du plan Scanlon depuis déjà vingt ans !

D'ailleurs, j'ai compris depuis lors qu'à peu près toutes les méthodes vraiment supérieures qu'il allait m'être donné de "découvrir" par la suite appartenaient déjà à la routine de Herman Miller. C'est pourquoi beaucoup de gens de ma catégorie — professeurs de gestion, journalistes d'affaires et consultants en gestion — passent un temps considérable à étudier le fonctionnement de cette société et à suivre ses remarquables progrès. Et il existe quantité de raisons qui justifient un examen soutenu de la performance impressionnante de Herman Miller. En voici juste un exemple :

Premièrement, c'est une affaire extrêmement rentable : cent dollars investis en actions Herman Miller en 1975 sont devenus, permettez-moi d'être tout à fait précis, 4.854,60 dollars en 1986 (ce qui donne — inutile de sortir votre calculette — un taux annuel de croissance de 41 %). Parmi les "500 plus grosses entreprises" dont *Fortune* dresse la liste, la "petite" société Herman Miller n'atteint que le 456ème rang pour ce qui est des ventes totales, mais elle est en septième position pour ce qui est des dividendes versés aux actionnaires pendant dix ans. (C'est ce que les gens de la finance appellent le bénéfice net après impôt).

Deuxièmement, il existe d'autres entreprises fabriquant du mobilier qui ont davantage d'employés, mais ceux de Herman Miller sont les plus productifs de cette branche (le calcul est établi sur la base du revenu net par employé). Et, même si certains de ses concurrents sont plus performants dans tel ou tel domaine, Herman Miller est deux fois plus compétent qu'eux, en moyenne, pour le stylisme et le R & D [1] (Ouvriers Productifs + Produits Innovateurs = Bonne Gestion Industrielle, non ? )

Troisièmement, qui peut ignorer la créativité de cette entreprise ? J'ai déjà mentionné les sommes importantes consacrées par Herman Miller au R & D et au stylisme. Mais le plus impressionnant ne tient pas tant à l'argent investi qu'aux résultats : les bureaux en espace ouvert, le bureau attaché au mur, les chaises empilables, les "Intérieurs éthospatiaux" (si ce terme ne vous est pas familier, imaginez simplement un mélange de modularité et de transluminosité, et vous ne serez pas loin de la vérité), entre autres, sont des inventions Herman Miller. Comment se fait-il, seriez-vous en droit de vous demander, que des concepts stylistiques aussi avancés aient pu naître dans une entreprise dont le siège se trouve à Zeeland, dans l'état du Michigan, c'est-à-dire une ville glacée, sans bars, sans salles de jeux et sans théâtres ? Est-ce que les grands stylistes de notre temps ne vivent pas à New York, Paris ou Rome ? Ils sont tous venus à Zeeland, affirme Max, parce que D. J. De Pree et Hugh, le frère de Max qui l'a précédé au poste de président, "ont eu la force de s'abandonner aux idées démentes des autres". D. J. a réussi à attirer plusieurs très grands

1. Recherche et Développement. (N.d.T.)

créateurs de notre époque — Gilbert Rhode, Charles Eames et Robert Propst — à Zeeland, où il leur a promis une liberté totale pour la conception de ce que Eames appelle "de bons produits". D.J. le premier, et Hugh ensuite, se sont engagés à ce qu'aucun directeur tatillon, aucun "commercial", aucun ingénieur ne vienne "apporter une petite modification ici ou là" à leurs dessins. Car voyez-vous, D.J. était persuadé qu'il existait un marché pour le bon stylisme, et que les grands créateurs avaient besoin d'une liberté complète pour donner libre cours à leur inspiration débridée. Pour résumer, D.J. avait décidé, il y a déjà longtemps de cela, que Herman Miller devait mener le mouvement, et non le suivre. Ce qui est encore vrai aujourd'hui.

Quatrièmement, Max croit, tout comme son père avant lui, à la nécessité de "s'abandonner à la force des autres". Et il ne s'agit pas seulement des experts — c'est-à-dire des stylistes de classe internationale ou des gens qui sont diplômés — mais de tous les employés de Herman Miller. Ainsi, dans le cadre du plan Scanlon, des ouvriers ont fait à la direction des suggestions concernant l'amélioration du service après-vente, la qualité et la productivité. En 1987/88, les suggestions des employés de Herman Miller ont permis de réaliser une économie de quelque douze millions de dollars (soit environ trois mille dollars par employé américain) sur les dépenses. En fait, les directeurs de l'entreprise font une fois par mois un rapport sur la productivité et les bénéfices de la société à ses employés. Normalement, ce genre d'information est tenu secret dans la plupart des grandes entreprises américaines. Les directeurs font également le point sur les suggestions apportées par les employés. Mais comment se fait-il que ceux-ci manifestent un tel intérêt ? C'est tout simplement parce qu'ils possèdent l'entreprise : cent pour cent du personnel régulier ayant travaillé pour la société pendant au moins un an détiennent des actions, et plus de cinquante pour cent d'entre eux achètent régulièrement des actions en plus de celles qui leurs sont distribuées. "Chez nous, déclare Max, les employés se comportent exactement comme si l'entreprise leur appartenait."

Enfin, cinquièmement, et c'est le point le plus important, Herman Miller est une entreprise intègre. Max définit ainsi l'intégrité : "la juste conscience de ses obligations". Cette intégrité se manifeste par l'implication de l'entreprise dans le stylisme d'avant-garde, dans le souci de qualité, dans la participation à la vie de la société — et dans le respect qu'elle manifeste à ses clients, ses investisseurs, ses fournisseurs et ses employés. L'intégrité s'exprime de multiples manières. Ainsi, en 1986, tandis que les cadres supérieurs d'autres sociétés s'occupaient de l'essentiel en prévoyant un plan Golden Parachutes pour eux-mêmes, les responsables de Herman Miller ont introduit un plan Silver Parachutes pour tous les employés ayant deux ans de maison. Si Herman Miller venait à être racheté par des étrangers, le plan Silver Parachutes prévoyait un atterrissage en douceur pour ceux, parmi les membres du personnel, dont la couverture sociale était négligée par la plupart des entreprises. Il est vrai que Herman Miller ne ressemble pas aux autres entreprises.

On ne s'étonnera pas qu'un sondage effectué en 1988 par le magazine économique *Fortune* ait désigné Herman Miller parmi les "dix sociétés les plus admirées" du pays. (Elle a effectivement été classée première dans son secteur d'activité, mais surtout, quatrième de toutes les sociétés américaines dans la catégorie "qualité des produits ou des services".

Bien que tout ceci soit fort spectaculaire, ce n'est pourtant pas la raison principale qui me pousse à recommander le livre de Max De Pree à tous les patrons ou patrons en puissance. Car l'enthousiasme que j'exprime est animé par la conviction profonde qu'il s'agit réellement du meilleur livre jamais écrit sur le sujet. Sur la douzaine de livres environ, publiés ces dernières années, concernant l'importance du rôle du directeur dans la réussite d'une entreprise, celui-ci est le seul qui ait su mettre en valeur cette vérité méconnue mais essentielle : *les patrons ont des idées*. Dans les autres ouvrages, on montre, selon les cas, des personnalités charismatiques, des présentateurs doués, des escrocs habiles à capter la confiance, des visionnaires, des autocrates et des acrobates de cirque. Ils aboient des ordres et empêchent les gens de faire leur travail. Comment peut-on imaginer qu'un tel système puisse marcher dans une entreprise comportant un millier d'employés — voire une centaine de milliers ! Max ne voit pas du tout les choses sous cet angle. Il sait par expérience que ce n'est ni la voix puissante du patron, ni ses claquements de fouet, ni son impact télévisuel qui vont motiver ses employés. L'art d'être patron, comme Max se plaît à le dire, consiste à : “libérer les gens pour qu'ils fassent ce qu'on attend d'eux de la manière la plus efficace et la plus humaine possible”. Le patron est donc le “serviteur” de ses employés en ce sens qu'il élimine les obstacles qui les empêchent de faire leur travail. Pour résumer, le véritable chef donne à ses collaborateurs l'occasion de s'épanouir pleinement.

Pour en arriver là, il est évident qu'il doit avoir les idées claires. Plus précisément, il doit avoir une vision claire de ce qu'il croit être vrai. Il doit avoir réfléchi à l'idée qu'il se fait de la nature humaine, au rôle de l'organisation, à la mesure des performances (et à la kyrielle d'autres sujets qui apparaissent dans plusieurs séries de questions socratiques fort utiles que Max distille tout au long de ce livre). Parce qu'ils auront envisagé ces questions sous tous leurs angles à l'avance, les patrons auront l'assurance nécessaire pour “encourager l'expression d'avis contraires”, comme dit Max, et “s'abandonner à la force des autres”. En d'autres termes, un vrai patron est quelqu'un qui sait écouter. Il écoute les idées, les besoins, les aspirations et les désirs de ses collaborateurs et ensuite, dans le cadre du système de certitudes qu'il s'est constitué, il répond de manière adéquate. C'est pourquoi le patron doit savoir précisément ce qu'il a en tête. Diriger une entreprise exige effectivement que l'on ait des idées. Voilà exactement le contenu de ce livre : une somme d'idées concernant la direction de l'entreprise.

On peut néanmoins se demander si cela fonctionne.

Max De Pree pratique-t-il l'art d'être patron tel qu'il nous le décrit dans ces pages ? Le succès évident de Herman Miller est-il lié à la façon dont Max dirige l'entreprise ? Je répondrai oui sans la moindre hésitation. Et n'oubliez pas que cette affirmation émane d'un sceptique qui a appris, non sans douleur, qu'il existe presque toujours un fossé entre ce qu'un D.G. *affirme* être sa philosophie et ce qu'il applique sur le terrain. Aussi ai-je d'abord considéré ce que Max De Pree dit de l'art d'être patron comme de la théorie pure jusqu'au jour où j'ai été en mesure de le soumettre à l'épreuve absolue : demander à ceux qui travaillaient avec lui ce qu'ils pensaient du directeur de Herman Miller. J'ai eu pour la première fois l'occasion de visiter une usine Herman Miller. On m'a donné carte blanche pour aller où bon me semblait et parler à qui je voulais, cadres et ouvriers. Le seul problème fut que je ne pouvais les distinguer les uns des autres ! Des gens qui semblaient à première vue être des ouvriers étaient occupés à résoudre des problèmes, normalement réservés aux cadres, d'amélioration de la productivité et de la qualité, tandis que ceux qui devaient être des cadres avaient retroussé leurs manches et s'employaient parmi les autres à fabriquer avec le plus d'efficacité possible le meilleur produit possible. "La marque d'une direction exceptionnelle se trouve chez ceux qui suivent" écrit Max dans son remarquable petit livre.

Je peux vous assurer que c'est vrai. J'ai découvert que l'excellence de Max en tant que patron se manifestait dans l'esprit productif et responsable de chaque personne travaillant pour Herman Miller à qui j'ai parlé, qu'il s'agisse de cadres ou d'ouvriers. Je n'avais jamais rien vu de tel dans la dizaine d'entreprises que j'avais précédemment visitées. Il m'est apparu non seulement que Max appliquait ce qu'il préconisait, mais surtout qu'il en allait de même pour ceux qui travaillaient pour lui — ceux qu'il *servait*. Ces gens-là étaient entièrement dévoués aux croyances et aux idées qu'épousait Max, en particulier à cette idée que Herman Miller devait continuer de modifier et d'améliorer ses produits et devait sans cesse renouveler son esprit d'entreprise pour demeurer compétitif dans les années à venir.

Voilà le genre de société dans laquelle devrait investir quiconque se préoccupe de l'avenir pour une raison ou une autre. C'est du moins ce que j'ai fait. Il n'y a pas si longtemps, j'ai récupéré la somme que j'avais épargnée pour les études universitaires de ma plus jeune fille et l'ai investie dans des actions Herman Miller. Parce que je m'inquiétais de l'avenir de ma fille, j'ai investi dans une société qui *avait* un avenir. Et vu l'héritage patronal que Max De Pree laissera derrière lui chez Herman Miller, ce sera assurément un avenir glorieux !

James O'Toole
*Graduate School of Business*
*University of Southern California*

# INTRODUCTION

Vous pouvez commencer ce livre où vous voulez. C'est davantage un livre d'idées que de méthodes. Ce n'est pas ce que la plupart des gens qualifieraient aujourd'hui de livre de gestion, où l'on vous raconte comment il faut s'y prendre — même si les idées qui y sont avancées peuvent vous aider à réaliser des choses très importantes. Ce livre traite de l'art d'être chef d'entreprise : donner aux gens la liberté d'accomplir ce qu'on attend d'eux de la manière la plus efficace et la plus humaine possible.

Ce n'est ni un livre de faits ni un livre d'histoire. Bien que j'adore raconter des histoires, vous n'y trouverez pas d'anecdotes. Dans la mesure où il traite essentiellement d'idées, de croyances et de relations, il concerne davantage le "pourquoi" que le "comment" de la vie et des institutions de l'entreprise. Le profit, ce résultat tant espéré du "comment", est normal et nécessaire. Les résultats ne sont cependant qu'une manière de mesurer l'état de nos ressources à un moment donné en un lieu donné, une borne kilométrique sur une longue route. Pourquoi nous obtenons ces résultats me paraît être autrement important. Voilà de quoi parle ce livre.

Plusieurs personnes m'ont aidé à le concevoir, certaines sans le savoir. Quelques-unes sont nommément citées. Il y est très souvent question de Herman Miller, Inc., ce qui est bien naturel, étant donné que j'y ai travaillé pendant quarante ans. Vous ne trouverez pas curieux, par conséquent, que je garde une bonne opinion de cette société. Ceux qui en font partie sont devenus ma seconde famille. Vous qui lisez ce livre, vous allez peut-être vous y reconnaître, même si nous ne nous sommes jamais rencontrés, mais cela ne me surprendrait aucunement.

Quoi qu'il en soit, les idées, les croyances, les principes contenus dans ce livre s'appliquent à peu près à toutes les formes d'activité. Des relations humaines saines mais de types différents peuvent être établies dans presque toutes les entreprises.

Charles Eames m'a enseigné les bienfaits de la répétition. Je me répète souvent, par principe, afin d'établir quelque chose et de le relier ensuite à autre chose. Une nouvelle situation requiert une autre connection parce que les choses apparaissent sous un angle nouveau et ont besoin d'être reliées à ce que je sais déjà.

Diriger une entreprise est un art que l'on apprend avec le temps, et pas seulement en lisant des livres. C'est un art plus tribal que scientifique, qui relève davantage de l'élaboration d'un réseau de relations que de l'accumulation d'informations, et c'est pourquoi je ne sais pas comment le définir avec précision.

D'une certaine manière, chaque lecteur "conclut" un livre en fonction de ses expériences, de ses besoins, de ses croyances et de son potentiel. C'est ainsi que l'on peut réellement s'approprier un livre. Il est facile d'acheter des livres, mais pas de les assimiler. Il y a dans celui-ci suffisamment d'espace pour que le lecteur puisse le conclure et l'intégrer. Les idées qui y sont exposées ont changé, évolué, mûri dans mon esprit pendant de nombreuses années. Une fois le livre publié, je continuerai longtemps à y réfléchir, et je pense que vous en ferez autant.

Si je vous dis cela, c'est que j'espère vous voir comprendre que ce livre demande une participation de votre part, qu'il est offert à votre influence et à vos observations. Au fur et à mesure que vous le lisez, il doit illustrer plusieurs idées abordées, en particulier celles de participation et de propriété de la société. J'espère que ce livre, comme bien des constructions correctement conçues, est indéterminé.

Lorsque j'étais enfant, j'observais souvent les adultes quand ils étudiaient des livres. C'est ainsi que j'ai appris une de mes premières leçons concernant la lecture. Ils écrivaient sur les livres. Les lecteurs sérieux et passionnés par leur sujet écrivent souvent dans les marges et entre les lignes. (Il se peut que vous écriviez et lisiez beaucoup entre les lignes, avec ce livre-ci ! ) Les bons lecteurs prennent possession de ce qu'ils sont en train d'apprendre en soulignant, commentant et questionnant. C'est ce que j'appelle "conclure" ce que l'on a lu.

Vous lirez peut-être ce livre rapidement, mais

j'espère que vous ne le concluerez pas rapidement. Il vous sera d'une bien plus grande utilité si vous le concluez, si vous en faites vraiment votre propre livre.

Il y a plusieurs années, Herman Miller avait décidé de faire construire une annexe pour l'une de ses usines. Les structures d'acier étaient déjà en place quand le responsable des travaux, ayant constaté que quelque chose n'allait pas, découvrit que la construction était trop haute de vingt centimètres. Tous les piliers durent être raccourcis. J'ai fait chromer deux des morceaux ainsi récupérés et les ai placés dans mon bureau, où ils ont l'air de quelque spécimen de sculpture artisanale, afin de me souvenir que personne n'est parfait. Ceci est également valable pour les livres.

Chapitre 1

# LA MORT DU CHAUFFAGISTE

Mon père est âgé de quatre-vingt-seize ans. Il est le fondateur de Herman Miller. Une grande partie du système de valeurs et de l'énergie contenue de l'entreprise, héritage dont nous profitons encore à ce jour, lui sont imputables. Dans les années 20, les machines de la plupart des usines où l'on fabriquait des meubles ne marchaient pas à l'électricité. Elles étaient actionnées par des poulies de transmission reliées à un arbre central. L'arbre central était entraîné par une machine à vapeur, et la machine à vapeur recevait sa vapeur de la chaudière. La chaudière, dans notre cas, était alimentée par la sciure et les déchets provenant de notre salle des machines. Cela constituait un beau cycle.

Le chauffagiste était celui qui contrôlait le cycle. Le fonctionnement de l'ensemble de l'opération dépendait de lui. C'était un homme indispensable.

Un jour, le chauffagiste est mort.

Mon père, qui était alors un jeune patron, n'avait pas la moindre idée de ce qu'il fallait faire quand un homme indispensable venait à mourir. Il jugea cependant bon de faire une visite à sa famille. Il se rendit là-bas et fut invité à se joindre à eux dans le salon. Ils échangèrent quelques phrases empruntées — ce genre de conversation auquel beaucoup d'entre nous sommes habitués.

La veuve du chauffagiste demanda à mon père s'il voyait un inconvénient à ce qu'elle lise des poèmes à voix haute. Bien entendu, mon père approuva. Elle alla chercher un livre relié dans une autre pièce et lut pendant quelques minutes des passages choisis parmi de très beaux poèmes. Quand elle eut terminé, mon père exprima son admiration pour la beauté de ces vers et demanda qui en était l'auteur. Elle répondit que son mari, le chauffagiste, les avait écrits.

Cela fait maintenant soixante ans que le chauffagiste est mort, et mon père, ainsi que plusieurs d'entre nous, chez Herman Miller, continuent de se demander : Etait-ce un poète qui surveillait le cycle des machines, ou un chauffagiste qui écrivait des vers ?

Attachés comme nous le sommes à comprendre la vie de l'entreprise, quel enseignement devrions-nous tirer de cette histoire ? Il est indispensable qu'en plus de tous les pourcentages, les objectifs, les paramètres et les résultats de comptes d'exploitation, les chefs d'entreprise essaient de comprendre les êtres humains. Ceci commence par la compréhension de la diversité des dons et des talents de chaque individu.

Comprendre et admettre ces différences nous permet de constater que chacun de nous est nécessaire. Cela nous permet également de commencer à envisager l'utilité de s'abandonner à la force des autres, d'admettre que nous ne pouvons ni tout *savoir*, ni tout *faire*.

Il suffit simplement de reconnaître la diversité au sein de la vie de l'entreprise pour pouvoir assembler la grande variété de dons que tous apportent au travail et au fonctionnement de l'organisation. La diversité permet à chacun de contribuer à sa manière, de faire de son apport personnel un des éléments de l'effort collectif.

Accepter la diversité nous aide à comprendre que nous avons besoin d'un environnement favorable, d'égalité et d'identité là où nous travaillons. La reconnaissance de la diversité nous procure l'occasion de donner un sens, un épanouissement et un objectif à celui qui travaille dans l'entreprise, valeurs qui ne doivent pas être exclusivement réservées à la vie privée, pas plus d'ailleurs que l'amour, la beauté et la joie. Et cela nous permet également de comprendre que pour beaucoup d'entre nous, il existe une différence fondamentale entre les objectifs et les récompenses.

Enfin, non seulement la diversité existe au sein de la vie professionnelle, mais il arrive fréquemment, comme dans le cas du chauffagiste, qu'elle reste méconnue. Ou plutôt, comme disait le poète Thomas Gray, il arrive que le talent ne soit pas reconnu, et qu'il ne serve à rien.

*Full many a gem of purest ray serene,*
*The dark unfathomed caves of ocean bear ;*
*Full many a flower is born to blush unseen,*
*And waste its sweetness on the desert air.* [1]

Lorsque nous considérons les chefs d'entreprise et la diversité de talents que les gens apportent aux sociétés et aux institutions, nous constatons que l'art d'être patron repose sur l'aptitude à parfaire, libérer et concrétiser ces talents.

1. Bien des pierres précieuses, et de l'eau la plus pure,
Gisent dans les grottes obscures de mers impénétrables ;
Bien des fleurs sont nées, qui écloront méconnues,
Dont la suavité se perdra dans l'air du désert.

Chapitre 2

# LES DEVOIRS DU CHEF D'ENTREPRISE

La première responsabilité d'un dirigeant est de définir la réalité. La dernière est de dire merci. Entre les deux, le chef d'entreprise doit devenir à la fois un serviteur et un débiteur. Cela résume la progression d'un dirigeant adroit.

Les conceptions, les idées, les pratiques concernant la manière de diriger une entreprise donnent lieu à beaucoup de réflexions, de discussions, d'écrits, d'enseignements et d'apprentissages. Les véritables patrons sont très recherchés, et couverts d'attentions. Diriger n'est pas un sujet facile à traiter. L'un de mes amis propose cette définition fort simple : "Les chefs n'infligent pas de souffrance ; ils endurent la souffrance."

Il ne s'agit pas, lorsque l'on réfléchit intensément à la question, de produire des dirigeants éminents, charismatiques, ou célèbres. L'envergure d'un patron ne se mesure pas à la qualité de la tête mais à la tonalité du corps. Les signes révélateurs d'une entreprise excellemment dirigée apparaissent d'abord chez les employés. Peuvent-ils réaliser leur potentiel ? Sont-ils en train d'apprendre ? De servir ? Obtiennent-ils les résultats escomptés ? Acceptent-ils le changement de bonne grâce ? Savent-ils gérer les conflits ?

Je voudrais vous demander de réfléchir au problème sous un angle particulier. Essayez de penser à un dirigeant selon les termes de l'Evangile de saint Luc, comme "celui qui sert". Etre le chef d'une entreprise implique qu'on lui doit certaines choses. Il s'agit de penser à ceux qui sont les héritiers légitimes de l'entreprise, de penser que l'on est au service de l'entreprise et non qu'elle vous appartient.

L'art de diriger une société nous impose de réfléchir au concept de patron-serviteur en termes de relations humaines, d'actif et d'héritage, de puissance et d'efficacité, de civilité et de valeurs.

*Les patrons devront laisser derrière eux un actif et un héritage.*

Considérons l'actif pour commencer. Il est évident qu'un chef d'entreprise détient un actif. Il possède la richesse financière nécessaire à la survie de l'établissement, ainsi que les relations et la réputation qui soutiennent la continuité de cette richesse financière. Les dirigeants doivent procurer à leurs établissements les services, produits, outils et équipements convenables dont ont besoin les travailleurs. Dans de nombreux cas, ils ont le devoir de fournir le lieu de travail et le matériel.

Quels sont leurs autres *devoirs* ? De quoi les patrons talentueux sont-ils également responsables ? Assurément, des travailleurs. Les travailleurs sont le cœur et l'âme de tout ce qui compte. Sans eux, les dirigeants n'ont pas de raison d'être. Les chefs d'entreprise peuvent décider qu'il est primordial de laisser des actifs à leurs héritiers, mais ils peuvent également aller au-delà et juger opportun de laisser un héritage, un héritage tenant compte de l'aspect le plus difficile de l'existence, l'aspect qualitatif, celui qui procure aux vies de ceux que le chef emploie un supplément de sens, de défi, de joie.

En dehors du fait qu'ils doivent assurer un actif à leur entreprise, les patrons doivent aussi garantir certaines choses à ceux qui y travaillent. Ils doivent se soucier du système de valeurs de l'entreprise, ce système qui, après tout, génère les principes et les critères selon lesquels fonctionnent les employés. Les chefs d'entreprise sont tenus d'exprimer clairement les valeurs de l'entreprise. Elles doivent être comprises au sens large, tout le monde doit les accepter, ce sont elles qui doivent conditionner notre comportement dans l'entreprise et dans la vie privée. Sur quoi repose ce système de valeurs ? Comment s'exprime-t-il ? Comment est-il contrôlé ? Ce ne sont pas des questions faciles à aborder.

Les chefs d'entreprise ont également la responsabilité de leurs successeurs. Ils doivent repérer, éduquer et soutenir les futurs chefs d'entreprise.

Les patrons sont responsables, entre autres, du sens de la qualité au sein de leur entreprise, que celle-ci soit ou non prête à subir des influences ou à accepter des changements. Les patrons efficaces aiment entendre des opinions contradictoires, car c'est une source de vitalité indispensable. Je veux dire qu'ils doivent alimenter les racines de leur entreprise, je parle du sens de la continuité et de l'identité culturelle de celle-ci.

Les patrons doivent passer un accord avec la société ou l'entreprise puisqu'elle est, après tout, un groupe d'individus. Leur devoir est de fournir un nouveau point de référence permettant aux employés attentifs, concernés et soucieux de bien faire, de se situer au sein de l'organisation. Vous remarquerez que je n'ai pas parlé de ce que les gens pouvaient faire, car ce que nous pouvons faire est simplement la conséquence de ce que nous pouvons être. Les sociétés, comme les individus qui les composent, sont toujours en train de devenir autre chose. Les accords créent un lien entre les gens et leur permettent de répondre aux besoins de l'entreprise tout en répondant à leurs besoins réciproques. Nous devons réaliser ceci d'une manière cohérente avec le monde qui nous entoure.

Les chefs d'entreprise sont redevables également d'une certaine maturité. La maturité au sens de valeur individuelle, sens de l'appartenance, sens de l'anticipation, sens de la responsabilité personnelle et de la responsabilité de ses actes vis-à-vis des autres, enfin, sens de l'égalité.

Les chefs d'entreprise doivent être rationnels. C'est ce qui permet de donner une logique et une compréhension mutuelle aux programmes d'action et aux relations humaines. C'est ce qui confère l'ordre visible. L'excellence, l'engagement personnel et la compétence ne nous sont accessibles que par le biais de la raison. Un environnement rationnel est une garantie de confiance et de dignité humaine, il favorise un développement et un épanouissement personnel tout en permettant d'atteindre les objectifs de l'entreprise.

La connaissance du langage des affaires et la compréhension de la structure économique d'une entreprise sont essentielles. Seul un groupe d'individus partageant un ensemble de connaissances et s'attachant à acquérir collectivement de nouvelles connaissances peut conserver sa vitalité et survivre.

Les patrons doivent accorder de l'espace aux gens, un espace de liberté. Et la liberté, c'est la possibilité d'exercer nos talents. Nous devons nous accorder mutuellement l'espace nécessaire pour croître, être nous-mêmes, exprimer notre diversité. Nous devons nous accorder mutuellement de l'espace afin de pouvoir à la fois *donner* et *recevoir* ces dons magnifiques que sont les idées, l'ouverture d'esprit, la dignité, la joie, la compassion et l'appartenance au groupe. Et en même temps que nous nous accordons mutuellement de l'espace, nous devons également offrir ces autres dons auxquels chacun de nous a droit, la beauté et la grâce.

Une autre façon de réfléchir aux devoirs d'un chef d'entreprise est de poser cette question : Quelle est la chose sans laquelle cette entreprise ne serait pas ce qu'elle est ?

*Les chefs d'entreprise ont le devoir de fournir et de maintenir la dynamique.*

On n'accède pas au pouvoir sans contracter en même temps quantité de dettes dans l'avenir. Mais il est des obligations plus immédiates. La dynamique en est une. La dynamique est palpable dans une entreprise douée de vitalité. Elle n'est ni abstraite ni mystérieuse. C'est le sentiment partagé par un groupe d'individus que leurs vies et leur travail sont imbriqués et avancent vers un objectif identifiable et légitime. Elle commence avec un dirigeant compétent et une équipe de cadres fermement dévouée à une politique agressive de développement et d'ouverture dans le domaine de la gestion. La mission de cette équipe est de produire un environnement qui permette à la dynamique de naître.

La dynamique procède d'une vision lucide de ce que devrait être l'entreprise, d'une stratégie bien pensée dans le but de concrétiser cette vision, de directives et de plans soigneusement conçus et transmis, qui permettent à chacun de participer à leur réalisation et d'en être tenu pour officiellement responsable.

La dynamique dépend d'un programme de recherche et de développement pertinent mais souple, mené par des collaborateurs exceptionnellement doués et particulièrement talentueux. La dynamique apparaît lorsqu'une entreprise emploie dans ses unités de marketing et de ventes une équipe d'individus agressifs, professionnels et inspirés. La dynamique existe quand cette équipe opérationnelle sert la clientèle de telle sorte que chaque client la considère comme le meilleur fournisseur d'outils, d'équipements et de services. L'équipe financière a pour fonction essentielle de sous-tendre ces activités complexes. Les "financiers" fournissent les lignes de conduite financières et les pourcentages indispensables. Ils sont responsables de l'égalité qui doit régner entre les différents groupes composant cette famille qu'est l'entreprise.

*Les chefs d'entreprise ont le devoir d'efficacité.*

On a beaucoup écrit sur l'efficacité, Peter Drucker mieux que quiconque. Il excelle particulièrement à simplifier les concepts. Il nous dit entre autres que la compétence consiste à agir comme il faut, alors que l'efficacité, c'est faire ce qu'il faut.

Les chefs d'entreprise peuvent s'en remettre à d'autres, pour ce qui est de la compétence, tandis qu'ils doivent s'occuper personnellement de l'efficacité. La question qui se pose tout naturellement est de savoir comment. Nous pourrions remplir quantité de pages sur ce sujet, mais j'aimerais m'en tenir à deux points.

Pour commencer, il faut comprendre que l'efficacité s'obtient en laissant chacun réaliser son potentiel — à la fois son potentiel individuel et son potentiel au sein de l'entreprise.

Dans certaines civilisations de l'océan Pacifique, le porte-parole détient une conque marine comme symbole de son autorité temporaire. Les chefs doivent savoir qui possède la conque — c'est-à-dire quel est celui que l'on doit écouter, et à quel moment. C'est ce qui permet à chacun d'exploiter ses dons avec le maximum de profit pour tous.

Quelquefois, sans aucun doute, un patron doit désigner celui qui va parler. Cela fait partie des risques de sa position de dirigeant. Il doit être capable d'apprécier les aptitudes, il doit pouvoir juger les individus. Car un chef choisit un individu, et non un poste.

Une autre manière d'améliorer l'efficacité est d'encourager l'émergence de dirigeants occasionnels. Les dirigeants occasionnels surgissent et s'expriment à des moments et dans des situations variables, selon les nécessités de ces situations. Les dirigeants occasionnels possèdent les talents particuliers ou les forces particulières, ou encore le caractère particulier qui permettent de prendre la direction des opérations dans ce genre de situations particulières. Ils sont reconnus comme tels par les autres, qui sont prêts à les suivre. (Voir : “Dirigeants occasionnels”).

*Les chefs d'entreprise doivent jouer un rôle dans le développement, l'expression et la défense de la civilité et des valeurs.*

Dans une société ou un établissement civilisé, on observe l'usage de bonnes manières, le respect des individus, la compréhension des “bons produits” et une appréciation réelle de la façon dont les gens se rendent mutuellement service.

La civilité relève de l'identification des valeurs, par opposition à la soumission aux modes. On pourrait définir la civilité comme l'aptitude à faire la différence entre ce qui est réellement sain et ce qui donne simplement l'impression d'être vivant. Un dirigeant doit être capable de distinguer les forces vivantes des forces moribondes.

Quand on a perdu la notion de beauté des idées, de l'espoir et des occasions, quand on prive autrui du droit d'être utile à son prochain, c'est que l'on est du côté des forces moribondes.

Faire partie de ceux qui négligent les biens et les idées, qui rejettent les principes et les lois, qui méprisent les personnes et les familles, c'est appartenir aux forces moribondes.

Celui qui ignore la dignité du travail, l'élégance de la simplicité et cette responsabilité fondamentale pour chacun de rendre service à autrui, est du côté des forces moribondes.

A une époque où l'on semble gaspiller tant d'énergie pour la maintenance et les manuels, la bureaucratie et les calculs dépourvus de sens, être un chef d'entreprise consiste à apprécier ces vertus particulières que sont la complexité, l'ambiguïté et la diversité. Mais être un chef d'entreprise implique avant tout que l'on ait l'occasion de jouer un rôle déterminant dans la vie de ceux qui permettent à un dirigeant de diriger.

Chapitre 3

# LA PARTICIPATION

Qu'est-ce que la plupart d'entre nous attendent vraiment de leur travail ? Nous aimerions trouver la manière la plus efficace, la plus productive, la plus gratifiante de travailler ensemble. Nous aimerions être sûrs que notre méthode de travail utilise la totalité des ressources appropriées et pertinentes : humaines, physiques, financières. Nous aimerions une méthode de travail et des relations humaines capables de satisfaire notre besoin d'appartenance, de contribution, de travail ayant un sens, de trouver des occasions de s'impliquer, de croître et de contrôler notre destin dans la mesure du raisonnable. Au fond, nous aimerions que l'on nous dise "Merci !".

Depuis plusieurs années, le monde des affaires est passé d'une position et d'une pratique de gestion assise sur le pouvoir à un processus de direction fondé sur la persuasion, et cela n'est pas près de cesser. Bien entendu, cette évolution va finir par rendre complètement démodé le recours au pouvoir formel au sein de l'entreprise.

J'estime que la méthode de direction la plus efficace, à l'heure actuelle, est la participation. On a beaucoup discuté de la participation, ces derniers temps, dans les colonnes des revues et dans les livres, mais il ne s'agit pas pour autant d'une position théorique que l'on peut adopter après avoir lu quelques journaux. Pour commencer, il faut être persuadé que les gens ont un potentiel à exploiter. Introduire la participation dans une entreprise sans être convaincu de l'existence de ce potentiel et des dons que chacun apporte à l'ensemble ne tient pas debout.

Accepter la participation procède d'un élan du cœur et d'une philosophie personnelle de la nature humaine. On ne peut ni l'ajouter à un manuel de politique de gestion, ni l'en soustraire, comme s'il ne s'agissait que d'un instrument de plus.

C'est un droit et un devoir pour chacun d'influencer les processus de décision et de comprendre les résultats. La participation garantit que les décisions ne seront pas prises arbitrairement, secrètement ou sans avoir laissé à chacun le loisir de poser des questions. La participation n'est pas démocratique. Il ne faut pas confondre voter et donner son avis.

Exercer une influence utile et comprendre sont essentiellement possibles s'il existe des relations humaines saines entre les membres du groupe. Les dirigeants doivent prendre soin de l'environnement et des conditions de travail où les individus peuvent développer des relations de qualité — relations entre eux, avec la collectivité au sein de laquelle nous travaillons, avec nos clients et nos acheteurs.

Comment aborder le problème qui consiste à transformer en réalité une vision idéale des relations humaines ? Il n'existe pas de formule dont le résultat soit assuré, mais je propose cinq mesures pour commencer. Vous ne manquerez certainement pas d'y apporter des modifications, et des additions.

*Respecter les gens.*

Ce qui implique, au départ, de comprendre la diversité de leurs dons. Cette compréhension nous permet d'engager la démarche essentielle : la confiance mutuelle. Cela nous permet également de commencer à envisager différemment les forces des autres. Chacun est doté de certains talents, mais ce ne sont pas les mêmes. Une véritable participation et une direction éclairée permettent à ces dons de s'exprimer de diverses manières, à différents moments. Il serait parfaitement absurde que le D.G. vote le genre de vilebrequin que nous avons besoin d'acheter. De même il serait ridicule que l'ouvrier appelé à utiliser ce vilebrequin (celui-là même qui devrait voter pour l'achat de l'outil) vote quand il s'agit de décider une division de capital.

*Comprendre que nos croyances prévalent sur la politique et la pratique.*

J'entends par là notre système de valeurs personnelles autant que professionnelles. Il me semble que notre système de valeurs et notre idée du monde devraient s'intégrer aussi intimement à notre vie professionnelle qu'à la vie que nous menons au sein de notre famille, de notre église et d'autres groupes, ainsi qu'à toutes nos autres activités.

Beaucoup de dirigeants se préoccupent de leur style. Ils se demandent quelle image ils donnent d'eux-mêmes : sympathique, autocratique, ou ouvert à la participation. Le style est à la croyance ce que la pratique est à la politique. Le style résulte tout simplement de ce que nous croyons, de ce que renferme notre cœur.

*Se mettre d'accord sur les droits du travail.*

Chacun de nous, quel que soit son rang dans la hiérarchie, a les mêmes droits : être indispensable, être impliqué, être lié par une convention, comprendre l'entreprise, exercer une influence sur son avenir, être fiable, être sympathique, s'engager. Je parlerai plus longuement des droits du travail dans le chapitre suivant.

*Comprendre les rôles respectifs et les relations qu'entraînent les accords contractuels et les conventions.*

Les relations contractuelles recouvrent des questions telles que les espérances, les objectifs, les salaires, les conditions de travail, les bénéfices, les occasions stimulantes, les contraintes, les emplois du temps, etc. Tous ces éléments participent à notre vie ordinaire et doivent y avoir leur place.

Mais il faut davantage — en particulier de nos jours, où la majorité d'entre nous qui travaillons, peuvent être à juste titre qualifiés de volontaires. Les meilleurs éléments travaillant pour des entreprises sont l'équivalent de volontaires. Alors qu'ils pourraient probablement trouver un emploi dans n'importe quelle autre entreprise, ils décident de travailler précisément dans l'une d'entre elles pour des raisons moins directement perceptibles que le salaire ou la position hiérarchique. Les volontaires n'ont pas besoin de contrats. Il leur faut des conventions.

Les relations qui reposent sur une convention permettent aux entreprises et aux établissements d'accueillir des individus inhabituels et des idées inhabituelles. Elles facilitent la mise en place de la participation et la formation de groupes variés. Les différences existant entre les conventions et les contrats sont traitées en détail dans “La notion d'intimité”.

*Comprendre que les relations sont plus importantes que la structure.*

Tous les établissements scolaires doivent se soumettre périodiquement à l'évaluation d'un comité de contrôle. Un petit collège avec lequel j'ai jadis travaillé a subi récemment ce genre d'évaluation. Le rapport du comité faisait état d'un niveau de confiance particulièrement élevé entre le président, qui était sur le point de prendre sa retraite, et les membres du corps enseignant. Pour établir le même type de confiance avec le nouveau président, le comité recommanda au collège d'effectuer les modifications de “structure” nécessaires. Le président y trouva, à juste titre, matière à sourire. Les structures n'ont rien à voir avec la confiance. Ce sont les individus qui construisent la confiance.

Finalement, il reste une question : Préféreriez-vous travailler comme élément d'un groupe exceptionnel ou comme élément d'un groupe d'individus exceptionnels ? Ceci est probablement la question cruciale, quand on aborde les prémices de la participation.

Chapitre 4

# METAPHORE DU BASEBALL

Un jour, le gouvernement polonais a annoncé qu'il allait "imposer un strict rationnement de la viande afin de restaurer la foi dans le socialisme". Et le gouvernement iraquien a envoyé des émissaires dans vingt pays pour expliquer l'attitude pacifique de leur nation "avant et pendant la guerre". Des contradictions aussi évidentes surgissent souvent chez des gens qui ont la vue courte, qui ne s'intéressent qu'à leur propre point de vue. Or il est très dangereux de ne considérer les choses que d'un seul point de vue.

Malheureusement, ce véritable supplice qu'est la question de l'efficacité et de la productivité n'a été trop souvent considéré que d'un seul point de vue — celui du dirigeant. Nous sommes obligés de considérer cette question du point de vue de celui dont la direction exige efficacité et productivité. A quoi ressemble cette question, considérée sous l'angle de celui qui produit ?

Nous devons déterminer clairement un nouveau concept de travail.

Certains cherchent la clé de la productivité dans l'argent, les avantages en nature et la complexité du matérialisme. D'autres s'égarent en invoquant la notion de collectivité dictée par la nécessité politique, ou dans les diverses relations antagonistes que nous connaissons bien.

Pour beaucoup d'entre nous qui travaillons, il existe un hiatus exaspérant entre la manière dont nous nous considérons en tant qu'individus et celle dont nous nous voyons en tant que travailleurs. Nous devons nous débarrasser de cette idée de hiatus et retrouver une vie cohérente.

Le travail devrait et peut être productif et gratifiant, avoir un sens et nous aider à devenir adulte, être source d'enrichissement et d'épanouissement, consoler et réjouir. Le travail est un des plus grands privilèges que nous possédions. Il peut même être poétique.

L'une des façons de réfléchir au travail est de demander comment des poètes et des philosophes dirigeraient une société. Chez Herman Miller, les poètes et les philosophes ont essentiellement été des stylistes — George Nelson, Charles Eames, Robert Propst, Bill Stumpf. Chacun de ces individus très particuliers a apporté à sa façon une contribution décisive à Herman Miller. Dans chaque cas, ils ont été des enseignants exceptionnels.

George Nelson m'a aidé à découvrir que la "créativité" fonctionne de la même manière que le processus de la découverte pour un physicien. Dans les entreprises contemporaines, le processus créatif est, de par sa nature même, difficile à manier. Tout ce qui est authentiquement créatif débouche sur le changement, or, s'il y a une chose qu'une administration, un établissement ou une importante société trouve vraiment difficile à gérer, c'est bien le changement.

Dans presque tous les groupes, chacun est appelé à jouer deux rôles, bien que ce soit à des moments différents et de différentes façons : l'un est le créateur, l'autre l'exécutant. Cette relation cruciale est souvent sous-estimée, et envisagée malencontreusement sous l'angle "patron" et "subordonné". Or dans ce cas, la hiérarchie est inappropriée. Il arrive la plupart du temps que l'exécution doive être aussi créative que l'acte de création qu'elle prolonge. C'est à ce stade précis que les directeurs et le chef de l'entreprise éprouvent le plus de difficultés à s'ouvrir à l'influence des autres.

Jim Kaat est le frère de ma femme. Pendant vingt-cinq ans, il a été un très grand lanceur dans une ligue de clubs de base-ball d'un niveau exceptionnel. Au milieu des années soixante, il a eu la chance extraordinaire, lors des World Series [1], de lancer contre le célèbre Sandy Koufax.

J'ai un jour questionné Jim au sujet de la supériorité de Koufax. Il m'a expliqué que celui-ci était exceptionnellement doué, admirablement discipliné et impeccablement entraîné. "En fait, me confia-t-il,

1. Le Championnat du monde oppose en fin de saison les deux meilleures équipes de chaque grande ligue (N.d.T.).

Koufax était le seul lanceur de grand club dont on pouvait entendre bourdonner la balle. Quand il lançait, les batteurs de l'équipe adverse, au lieu de s'agiter bruyamment sur le banc de touche, restaient assis en silence et écoutaient le bourdonnement de la balle. Et quand ils prenaient leur tour sur la base, ils étaient déjà intimidés."

J'ai dit à Jim comment les adversaires de Koufax auraient pu résoudre le problème. C'était une solution très simple. " Vous auriez dû me choisir pour être son 'attrapeur' ", lui dis-je.

Car voyez-vous, tous les grands lanceurs ont besoin d'un attrapeur exceptionnel. Or je rattrape tellement mal que Koufax aurait été obligé de me lancer la balle beaucoup plus lentement, ce qui l'aurait privé de sa meilleure arme.

Au base-ball comme dans les affaires, c'est en satisfaisant les besoins de chacun que l'on satisfait le mieux les besoins de l'équipe. En concevant et réalisant un projet collectivement, nous serons en mesure de résoudre nos problèmes d'efficacité et de productivité, et par la même occasion nous pourrons modifier fondamentalement le concept de travail.

Tous les concepts de travail procèdent de la compréhension des relations qui existent entre les lanceurs et les attrapeurs. La liste de droits que vous trouverez ci-après concerne les premiers autant que les seconds. Ces droits sont essentiels si l'on veut qu'il existe un nouveau concept de travail. Ce n'est bien entendu pas une liste exhaustive, mais ces huit droits sont essentiels.

*1. Le droit d'être nécessaire.*

Puis-je utiliser mes dons ? A long terme, cela répond forcément aux besoins du groupe. Notre fils Chuck était grand pour son âge, et par conséquent capable de porter un trombone. Le chef de l'orchestre de son école lui imposa cet instrument parce que l'orchestre avait besoin d'un trombone et que personne d'autre n'était assez grand pour ce poste. Les besoins de l'orchestre étaient légitimes. Malheureusement, Chuck n'avait aucunement envie de jouer du trombone. Il laissa vite tomber et l'orchestre se retrouva sans trombone.

Le droit d'être nécessaire implique évidemment que l'on trouve un intérêt personnel dans les objectifs du groupe.

*2. Le droit de s'impliquer.*

Il faut que l'implication soit structurée et tienne compte des privilèges de propriété et de risque. Trois éléments minimum sont nécessaires. Mais s'ils paraissent simples en théorie, ils sont très difficiles à mettre en place.

Nous avons besoin d'un système d'*injection*. Les dirigeants doivent faire en sorte que chacun puisse s'impliquer.

Nous avons besoin d'un système de *retour*. Les dirigeants doivent faire en sorte que cette implication soit réelle. C'est une grave erreur que d'inviter les gens à s'impliquer dans quelque chose, de recueillir leurs idées et ensuite de les exclure des processus d'évaluation, de prise de décision et de mise en place.

Nous avons besoin d'*agir*. Nous devons transformer ensemble notre action réciproque en produits et services pour notre clientèle.

Cette question de l'implication ne doit pas être prise à la légère. C'est un processus qui peut se révéler très onéreux. Il en coûtera aux dirigeants l'obligation d'être véritablement ouverts à l'influence d'autrui.

3. *Le droit à une relation reposant sur une convention.*

Quand je pense aux relations reposant sur une convention, c'est par opposition aux relations contractuelles. Les deux existent, et les deux impliquent un engagement. Les relations contractuelles, qu'elles soient écrites ou tacites, sont évidemment la norme dans les affaires et l'industrie. La relation contractuelle est d'essence légale, et repose sur la réciprocité.

Les relations fondées sur une convention obéissent à un besoin profond, et permettent d'effectuer un travail signifiant et satisfaisant. Elles rendent possibles des relations capables de tirer profit des conflits et des changements. (Voir : "La notion d'intimité")

Les véritables conventions présentent cependant une part de risque parce qu'elles exigent que nous nous abandonnions aux talents et aux compétences des autres, ce qui nous rend vulnérables. Le même genre de risque que l'on court lorsqu'on tombe amoureux. Si vous vous demandez où tout ceci peut bien s'inscrire dans la vie d'une société, posez la question au poète ou au philosophe le plus proche.

4. *Le droit de comprendre.*

Nous avons besoin de comprendre ensemble notre *mission.* Nous avons le droit de comprendre la stratégie et la direction suivies par l'entreprise.

Chacun a le droit de comprendre son *parcours personnel de carrière.* Nous avons tous besoin de connaître les occasions qui se présentent dans l'entreprise et la façon dont nous pouvons les saisir. Ceci est lié au droit d'élargir ses propres compétences grâce à l'étude et à de nouvelles expériences.

Nous avons besoin de comprendre la nature de la *concurrence.* Chez Herman Miller, nous accordons diverses récompenses annuelles pour des réussites exceptionnelles. Il y a quelques années, l'un des lauréats, qui avait un remarquable talent de styliste et de fabricant pour certains équipements, décida de dépenser une partie de la somme reçue à voyager et à visiter divers établissements de notre société. Tout en visitant plusieurs de nos bureaux de ventes, il vit également ceux de certains de nos concurrents.

Ce fut pour lui une expérience sans précédent. Il regretta de ne pas avoir connu plus tôt la qualité et la proximité de nos concurrents, car cela lui aurait permis de travailler avec davantage d'efficacité.

Nous avons besoin de comprendre notre *cadre de travail,* un cadre de travail humain autant que physique, et de nous y sentir à l'aise. Il est nécessaire qu'un ordre visible et un "sens de la place de chacun" existent, afin que nous sachions qui nous sommes et où nous nous situons. Notre environnement doit être à l'échelle humaine, et nous avons droit à la beauté.

Nous avons le droit de comprendre les clauses de notre *contrat* qui ont trait à la rémunération et aux conditions du travail, aux partages des bénéfices, aux opportunités intéressantes, aux espérances et aux contraintes normales.

Il est essentiel à une bonne compréhension que les dirigeants précisent clairement la responsabilité de chaque membre du groupe. Ces éléments, et d'autres du droit à la compréhension, obligent les dirigeants à communiquer, à éduquer et à évaluer.

5. *Le droit d'agir sur son propre avenir.*

Peu d'éléments, dans tout le processus du travail, ont autant d'importance pour la dignité personnelle que la possibilité d'influencer son propre avenir. Tout ce qui relève de l'évaluation des performances, de la promotion et du transfert devrait toujours être analysé avec la participation de la personne concernée.

6. *Le droit d'être responsable de ses actes.*

Pour être considéré comme responsable, nous devons avoir l'occasion de contribuer aux objectifs de l'entreprise. Nous avons besoin de partager les problèmes de l'entreprise comme si c'étaient les nôtres, ainsi que les risques inhérents. Nous voulons que notre contribution soit évaluée en fonction de normes d'exécution préalablement admises, et il est indispensable que cette transaction se réalise dans le cadre d'une relation d'adulte à adulte.

Au cœur de cette question de responsabilité se trouve la notion de "prendre soin". Malheureusement, "prendre soin" est une innovation dans de nombreux secteurs de la vie des affaires.

7. *Le droit d'appel.*

Il est nécessaire que nous construisions dans les structures de notre entreprise une voie d'appel qui ne comporte pas de menace. Son propos est d'offrir une garantie contre toute action arbitraire de la direction qui risquerait de menacer n'importe lequel des droits individuels que nous venons de traiter. L'une des responsabilités les plus importantes des dirigeants est de faire tout leur possible pour offrir ces droits à ceux qu'ils dirigent.

8. *Le droit à l'engagement.*

Qu'est au juste le droit à l'engagement ? J'ai rencontré récemment des gens de Boston dont la société venait d'être rachetée par une société plus importante. Peu de temps auparavant, leur société mère avait été rachetée par une société encore plus importante. J'ai demandé à l'un d'entre eux dans quelle mesure cet épisode avait affecté son existence. Il m'a répondu : "Je ne prends plus de risques. Je ne peux plus m'engager. Je ne sais plus qui je suis."

Pour s'engager, n'importe quel employé devrait pourvoir répondre "oui" à la question suivante : Sommes-nous dans un lieu où l'on va me laisser donner le meilleur de moi-même ? Comment des dirigeants peuvent-ils s'attendre à ce que les gens qu'ils dirigent s'engagent, si ceux-ci se sentent frustrés et rencontrent des obstacles ? Or, vous pouvez me croire, il existe beaucoup d'obstacles qui se dressent par la faute de dirigeants insouciants.

Dans les sociétés actuelles, l'un des éléments qui empêchent le plus fréquemment le droit à l'engagement de s'exprimer surgit lorsque les employés perçoivent que la direction n'est pas rationnelle. L'une des responsabilités essentielles d'un dirigeant est l'obligation de se montrer rationnel.

Voici quelques-unes de mes règles de travail fondamentales. Si l'un de nous doit attraper la balle très rapide que lui lance son adversaire, il faut qu'il porte un gant spécial. Les droits du travail constituent une sorte de gant protecteur. Sans eux, même un attrapeur aussi talentueux que Johnny Roseboro, le grand partenaire de Koufax, risque de laisser tomber la balle.

Chapitre 5

# DIRIGEANTS OCCASIONNELS

C'était le matin du dimanche de Pâques et la grande église était comble. La procession était sur le point de démarrer. Les trois pasteurs, le chœur des adultes, deux chœurs d'enfants prêts à s'élancer du fond de l'église — plusieurs semaines de préparatifs et d'organisation allaient enfin se concrétiser.

Au moment où l'organiste plaqua le premier accord, un homme d'une quarantaine d'années qui se trouvait au milieu de la nef se mit à transpirer abondamment, vira au gris cendré, se souleva à moitié de son banc, suffoqua et s'effondra sur sa fille, assise à côté de lui.

Et que firent les trois pasteurs, l'organiste et les chœurs ? Ils ne firent rien.

Mais en moins de trois secondes, un jeune homme

qui avait une formation d'infirmier se précipita aux côtés de l'homme qui venait de s'effondrer. D'un geste rapide et expert, il lui ouvrit la bouche et rétablit sa respiration. Au bout de quelques minutes, s'étant assurés que l'état du malade le permettait et que le jeune infirmier était d'accord, trois hommes soulevèrent le corps avec précaution et l'emportèrent rapidement au fond de l'église où on l'allongea par terre en attendant l'arrivée de l'ambulance qui était déjà en route, ayant été aussitôt appelée par un inconnu.

Quand on étendit l'homme par terre près du chœur d'enfants qui attendait son tour, deux jeunes garçons s'évanouirent. Deux médecins qui assistaient au service apparurent dans la seconde. L'un vint aider le jeune infirmier qui s'occupait du malade tandis que l'autre prenait soin des deux enfants.

Au même instant, la tête d'un homme surgit parmi ceux qui entouraient le malade : "Aurez-vous besoin d'oxygène ?" Comme le médecin répondait "Oui," l'homme lui tendit une bouteille d'oxygène qu'il était allé chercher, en cas de besoin.

Pendant que tous ces événements se succédaient, la femme du malade — qui se trouvait dans le chœur des adultes et qui ignorait tout de la situation, sinon que le service était retardé — fut alertée avec tact, et conduite auprès de son époux. D'autres calmèrent les chœurs d'enfants en leur promettant que le malade allait s'en sortir et leur demandèrent de se tenir prêts pour le service. Les infirmiers arrivèrent, installèrent le malade dans l'ambulance et l'emmenèrent à l'hôpital.

Comme vous vous en doutez, la messe fut empreinte de compassion et chargée d'émotion. A la fin, le pasteur fut en mesure d'annoncer que le fidèle avait eu une grave réaction allergique, que son état était stationnaire et que ses perspectives de guérison étaient bonnes.

L'intérêt de vous raconter cette histoire est de démontrer qu'en dépit de l'organisation hiérarchisée de cette église, qui comprend plus de trente professionnels nommés ou élus, membres du conseil d'administration, membres du comité etc., il n'y a eu de sa part ni réaction rapide, ni esprit de décision. Il est difficile, pour une organisation hiérarchisée, d'autoriser les "subordonnés" à enfreindre les coutumes et à se comporter comme des dirigeants. Ceux qui *ont* réagi avec rapidité et efficacité sont des dirigeants occasionnels. Ces dirigeants occasionnels sont dans notre vie ces gens indispensables qui se trouvent là au moment où nous avons besoin d'eux. Il y a chaque jour dans de nombreuses entreprises des dirigeants occasionnels qui prennent, à différents degrés, la situation en main.

Ces dirigeants occasionnels montrent plus que de l'initiative individuelle : il s'agit d'un élément clé dans l'expression quotidienne du processus de participation.

La participation est l'occasion et la responsabilité pour chacun d'intervenir dans son travail, d'exercer une influence sur le fonctionnement de l'organisation en faisant appel à sa propre compétence et à sa volonté d'accepter la prise en charge d'un problème. Une seule personne ne peut pas être l'unique expert dans tous les domaines.

Dans beaucoup de sociétés, il existe deux catégories de dirigeants — les chefs hiérarchiques et les dirigeants occasionnels. Dans certaines situations particulières, le chef hiérarchique est obligé d'identifier le dirigeant occasionnel, de le (ou la) soutenir et le suivre, mais aussi de lui manifester les marques de faveur qui lui permettront de diriger.

Il n'est pas facile de laisser autrui prendre le commandement. Cela requiert une ouverture d'esprit particulière, la capacité de reconnaître ce qui convient le mieux à l'entreprise et de savoir quelle est la meilleure réponse à une question donnée. L'intervention des dirigeants occasionnels est un concept orienté vers la solution des problèmes. Elle illustre l'aptitude des chefs hiérarchiques à laisser d'autres personnes partager la prise en charge des questions — en fait, à les laisser prendre la situation en main.

Lorsque ce genre d'intervention est pratiquée, chacun de nous est sollicité, tant le chef hiérarchique que le dirigeant occasionnel que le suiveur dévoué. C'est un processus exigeant. Il implique que chacun facilite les choses pour les autres.

Il requiert aussi une bonne dose de confiance, et une perception claire de notre interdépendance. Nous ne considérons jamais notre responsabilité de dirigeants avec désinvolture — nous la partageons, mais ne la cédons pas. Nous avons besoin de pouvoir compter sur la compétence particulière d'autrui. Lorsque nous pensons aux gens avec qui nous travaillons, aux gens dont nous dépendons, nous constatons qu'en l'absence des individus, nous ne pouvons pas aller bien loin en tant que groupe. Pris isolément, nous sommes fort limités. Ensemble, nous pouvons être magnifiques.

L'intervention de dirigeants occasionnels requiert également de la discipline. Il est intéressant de constater que dans des entreprises comme la nôtre, même si une grande liberté est nécessaire, la licence n'a pas sa place. La discipline est indispensable.

La question n'est pas, à l'origine, de savoir si nous atteignons ou non nos objectifs particuliers. La vie, c'est autre chose que simplement atteindre des objectifs. Nous avons besoin de réaliser notre potentiel en tant qu'individus et en tant que groupe. Rien d'autre ne compte. Nous devons toujours tendre vers la réalisation de notre potentiel.

Notre état affectif, la franchise de nos comportements, la qualité de notre compétence, la fidélité de notre expérience — voilà ce qui donne de la vitalité à notre travail et un sens à notre vie. Voilà ce qui est nécessaire à l'existence des dirigeants occasionnels. Et c'est justement cette possibilité, mise en pratique par tous avec liberté et franchise, qui permettra à chacun de nous de réaliser son potentiel.

Chapitre 6

# LA NOTION D'INTIMITE

L'intimité est au cœur de la compétence. Elle relève de la compréhension, la croyance et la pratique. Elle concerne la relation qui unit chacun à son travail.

Chacun sait que l'on ne peut tenir correctement un restaurant si le patron est absent. Un jour, un jeune homme de ma connaissance est allé déjeuner dans un établissement où il avait ses habitudes. L'endroit était exception-nellement plein. Il parvint à mettre la main sur un menu, mais son heure de déjeuner s'était évanouie quand la serveuse vint prendre la commande. Bien décidé à ce que l'incident ne reste pas ignoré du propriétaire, il en glissa gentiment un mot à la caissière avant de retourner à son bureau. Le même soir, le propriétaire du restaurant arriva chez lui à l'improviste. Il lui apportait un repas — en fait, de quoi dîner deux soirs de suite.

C'est ce genre d'intimité avec son travail qui donne lieu à une authentique compétence.

Superviser efficacement un département du service de fabrication n'a absolument rien de commun avec donner des conférences sur le sujet.

De la même manière, les jeux de guerre diffèrent de la bataille. Ceux qui ont combattu sur le champ de bataille connaissent la sensation intense du réel et de l'irréel, l'odeur de peur, de danger et de mort. Seul le cœur qui bat la chamade pendant la bataille peut procurer cette intimité-là.

Ceux d'entre vous qui ont eu une véritable expérience des machines, du matériel et même de la construction savent qu'ils ont leur propre personnalité. Connaître intimement son travail permet de comprendre que, lorsque l'on forme quelqu'un, il faut non seulement lui enseigner la technique, mais aussi l'art de son travail. Or cet art est toujours lié à la personnalité de l'utilisateur et de la machine. L'intimité, c'est l'expérience de celui qui possède. Elle procède souvent d'une difficulté, de questions que l'on se pose, de l'exaspération ou même de la survie.

Les croyances sont liées à l'intimité. Les croyances passent devant les politiques, les normes ou les pratiques. La pratique est sans espoir si elle n'est pas assortie de croyance. Les dirigeants dépourvus de croyance, qui ne comprennent que la méthodologie et la quantification, sont les eunuques des temps modernes. Ils ne peuvent engendrer ni compétence ni confiance. Ils ne peuvent jamais accéder à la véritable intimité. Sur le plan fonctionnel et technologique, l'intimité nous intéresse. Nous devrions nous soucier d'intimité lorsque nous concevons les structures administratives, qui sont, après tout, les cartes routières grâce auxquelles nous pouvons travailler ensemble. L'intimité nous concerne personnellement, professionnellement et administrativement.

L'intimité que nous entretenons avec notre travail affecte directement notre responsabilité à son égard et apporte de l'authenticité personnelle au processus de travail. L'un des composants essentiels de l'intimité est la passion.

N'allez pas croire que vous pouvez aisément atteindre l'intimité, ou qu'il suffit pour l'obtenir d'appliquer une formule. Pas plus qu'il n'est facile de la protéger. Elle a des ennemis. Dans nos activités de groupe, l'intimité est trahie par des choses telles que la politique, les mesures à court terme, l'arrogance, la superficialité et une tendance à penser à soi plutôt qu'au bien de l'ensemble.

La superficialilité est ennemie de l'intimité d'une façon particulière. Si l'on considère attentivement l'échec de certains individus compétents, bien éduqués, énergiques et soutenus par de bons outils, il apparaît souvent que c'est le fil rouge de la superficialité qui les a fait chuter. Ils ne s'impliquent jamais sérieusement, avec responsabilité, dans leur travail.

L'intimité est trahie par l'incapacité de nos dirigeants à cibler et à fournir la continuité et la dynamique. Elle est trahie par le fait que l'on trouve la complication là où il devrait y avoir la simplicité. Les dirigeants qui freinent les gens au lieu de leur donner l'occasion de s'exprimer trahissent la notion d'intimité.

Mais l'intimité a également ses champions.

Mon attention a été retenue par un article de Charles Kuralt racontant l'histoire d'un jeune gymnaste très doué qui était paralysé à partir de la ceinture. Ce jeune athlète était vraiment excellent, et il était étonnant de voir à quel point il était devenu talentueux. Il a dit quelque chose qui s'applique d'une certaine manière à chacun de nous : "Je ne viens pas avec mon fauteuil roulant. C'est mon fauteuil roulant qui vient avec moi."

Il en va de même dans le travail. Nous ne venons pas avec nos entreprises, ce sont elles qui viennent avec nous, car aucune entreprise ou société n'a la moindre valeur sans les gens qui en font ce qu'elle est. Nos sociétés ne peuvent en aucun cas être ce que nous ne voulons pas être nous-mêmes. Quand nous considérons le travail par rapport à nous, nous construisons une réelle intimité avec lui, une intimité qui apporte une valeur supplémentaire au travail et à l'entreprise.

Nous découvrons l'intimité à travers une quête de confort dans l'ambiguïté. Nous ne progressons pas parce que nous connaissons toutes les réponses, mais plutôt parce que nous assumons les questions.

L'intimité naît de la traduction des valeurs individuelles et collectives en pratiques quotidiennes de travail, et de la quête de connaissance, de sagesse et de justice. Mais surtout, l'intimité naît de, et est à l'origine de relations intenses. L'intimité, c'est une manière de décrire la relation que nous souhaitons tous entretenir avec le travail.

Charles Eames aimait bien parler des "bonnes

choses". Il voulait dire : les bons matériaux, les bonnes solutions, les bons produits. Cela m'a aidé à comprendre que les "bonnes choses" de l'art de diriger, c'est la nature sacrée de nos relations. L'intimité devrait faire partie des relations que nous construisons dans le travail.

Au sens large, il existe deux catégories de relations dans l'industrie. La première, et la plus facile à comprendre, est la relation contractuelle. La relation contractuelle recouvre l'échange réciproque qui se produit lorsque l'on travaille ensemble. J'ai déjà mentionné ce type de relation. Mais on demande davantage, en particulier aujourd'hui où la majorité des travailleurs sont, pour l'essentiel, des volontaires.

Trois des éléments clé de l'art de travailler ensemble sont : comment faire face au changement, comment résoudre les conflits et comment réaliser notre potentiel. Un contrat légal tombe presque toujours devant la contrainte inévitable du conflit et du changement. Et un contrat n'a rien à voir avec la réalisation de notre potentiel.

Alexandre Soljenitsyne, s'adressant à la promotion 1978 de Harvard, a dit ceci au sujet des relations juridiques : "Une société qui repose sur la lettre de la loi et ne va jamais plus loin est incapable de profiter de l'éventail complet des possibilités humaines. La lettre de la loi est trop froide et trop formelle pour exercer une influence bénéfique sur la société. Chaque fois que l'étoffe de la vie est tissée avec des relations juridiques, surgit une atmosphère de médiocrité spirituelle qui paralyse les plus nobles impulsions de l'homme." Un peu plus tard, il a ajouté : “Lorsqu’un certain niveau de difficulté a été atteint, la pensée juridique entraîne la paralysie ; elle empêche l’individu de voir l’échelle et le sens des événements.” (*A World Split Apart*, New York : Harper & Row, 1978, pp.17-19, 39.)

Les relations reposant sur une convention, en revanche, se traduisent par la liberté, et non la paralysie. Une convention s’exprime par un engagement partagé dans les idées, les questions, les valeurs, les objectifs et les processus de gestion. Des termes tels que : amour, chaleur, chimie personnelle y ont certainement leur place. Ces relations reposant sur des conventions sont ouvertes à l’influence. Elles répondent à des besoins profonds et permettent au travail d’avoir un sens et d’apporter des satisfactions. Les relations reposant sur des conventions reflètent l’unité, la grâce et l’équilibre. Elles sont l’expression de la nature sacrée des relations humaines.

Les relations reposant sur des conventions permettent aux sociétés d’accueillir des individus et des idées qui sortent de l’ordinaire. Elles tolèrent le risque et pardonnent l’erreur. Je suis persuadé que la meilleure façon de diriger une entreprise dans le contexte actuel est la participation reposant sur des conventions. Recherchez les “bonnes choses” des relations de qualité qui ont cours dans une entreprise, si vous avez envie d’y travailler.

Comment est-il possible de construire et d’entretenir l’intimité ? Eh bien, l'une des meilleures manières est de poser des questions et de chercher les réponses. Comment l’entreprise assume-t-elle son histoire ? De quel genre d'affaires s'occupe-t-elle ? Qui y travaille, et quelle sorte de relations les gens ont-ils entre eux ? Comment la société fait-elle face au changement et aux conflits ? Et, probablement le plus important, quelle est leur vision de l'avenir ? Où vont-ils ? Que veulent-ils devenir ?

Les dirigeants sont obligés de réfléchir à ces questions. La pratique et l'art de diriger l'exigent l'une et l'autre, si nous voulons être intimes avec notre travail.

Il arrive parfois que l'on me demande : "Quel est votre objectif personnel pour Herman Miller ? " Si l'on aime le jazz, on pense à Louis Armstrong. Si l'on est vraiment amateur de baseball, on pense à Sandy Koufax. Si l'on apprécie les mobiles, on pense à Alexandre Calder. Si l'on est attiré par les impressionnistes français, on pense à Renoir. Chacun de ces individus exceptionnellement doués, impeccablement entraînés, admirablement disciplinés, est spécial à nos yeux parce qu'il est un cadeau pour notre esprit.

Mon objectif pour Herman Miller est que lorsque les gens, tant à l'intérieur qu'à l'extérieur de la société, nous regardent, non comme une entreprise mais comme un groupe dont les membres travaillent intimement dans un contexte d'entente réciproque, ils puissent dire : "Ces gens sont un cadeau pour l'esprit."

Chapitre 7

# OU VA LE CAPITALISME ?

*Qui sert dans l'armée à ses propres frais ? Qui cultive une vigne sans en manger le fruit ? Qui fait paître un troupeau sans se nourrir de son lait ? ...En effet, il est écrit dans la loi de Moïse: "Tu ne museleras pas le bœuf qui foule le grain." Dieu s'inquiète-t-il des bœufs ?*

I Corinthiens 9 7-9

Que devrions-nous avoir à l'esprit, quand nous essayons de comprendre le système capitaliste et son avenir ? Nous devrions commencer par réfléchir aux individus.

Je crois d'abord, en bon chrétien, que chaque être humain est fait à l'image de Dieu. Pour ceux d'entre nous qui ont reçu de ceux qu'ils dirigent le don de diriger, cette croyance est porteuse d'immenses implications.

Ensuite, Dieu a donné à l'homme une grande variété de dons. Comprendre cette diversité nous permet d'engager la démarche cruciale : avoir confiance les uns dans les autres. Le seul fait de reconnaître la diversité dans la vie de l'entreprise nous aide à apprécier et à relier la grande variété de dons que les gens lui apportent.

Enfin, je pense que Dieu, pour des raisons qu'il ne nous est pas toujours possible de comprendre, nous a livré un mélange de peuples — un mélange dont les dirigeants sont tenus pour responsables.

Ce concept des êtres humains au sein du système capitaliste a de graves implications pour tous, chrétiens ou non. Ces implications résident essentiellement dans la qualité de nos relations. Les relations sont au cœur, au centre du système capitaliste, qu'il s'agisse des relations contractuelles ou de celles, plus profondes et plus épanouissantes, qui procèdent d'une convention, les deux catégories ayant déjà été abordées.

L'une des grandes difficultés rencontrées par le système capitaliste au cours de ses deux premiers siècles d'existence est qu'il a été fondamentalement un système exclusif. Il a été construit à l'origine sur la base des relations contractuelles et il a exclu trop de gens de son fonctionnement et d'une distribution équitable des bénéfices. La question que nous abordons ici concerne beaucoup plus qu'une simple récompense financière : la plupart des gens n'ont jamais l'occasion de s'impliquer réellement dans le fonctionnement du système.

Je ne connais pas de meilleur système, mais le

capitalisme peut être amélioré tant dans la pratique que dans la théorie, sous l'influence d'une perspective compréhensive. L'objectif, à l'origine, n'est pas d'améliorer les résultats, bien que cette possibilité ait un sens. L'objectif est de donner corps au concept d'être humain, car un concept substantiel de l'être humain doit sous-tendre un système compréhensif. La croyance que chacun apporte un don au groupe implique que nous incluions le plus grand nombre de personnes possible. Inclure les gens, si nous sommes convaincus de la valeur intrinsèque de leur diversité, est le seul chemin qui s'ouvre à nous.

Il est possible que le système capitaliste ne survive pas en tant que structure exclusive. Dans la société actuelle, nous sommes soumis à une pression considérable, en particulier de la part des publicitaires, visant à nous faire croire que notre désir de tout ce qui a l'air exclusif est illimité. Et derrière tout ceci est tapie l'idée que nous pouvons, que nous devons l'obtenir pour notre confort ! Si l'on s'installe tranquillement pour y réfléchir, ces attitudes nous apparaîtront, en fait, comme la simple concrétisation de l'égoïsme. Le désir d'exclusivité engendre l'égoïsme.

Lorsque Dieu a dit qu'il nous avait faits à son image, il ne voulait rien dire de plus. Aussi sommes-nous conduits à voir à la fois le bien-fondé de notre diversité et la beauté, l'ambivalence de notre interdépendance. Par conséquent, nous rejetons l'exclusivité. Nous rêvons d'être inclus.

Par quel moyen pouvons-nous commencer à faire du capitalisme un processus compréhensif ? Il en existe plusieurs. Tout d'abord, en admettant un concept à la fois chrétien et humaniste des individus. Chacun de nous est nécessaire. Chacun de nous a un don à apporter. Chacun de nous est un individu social et nos institutions sont des unités sociales. Chacun de nous nourrit au fond de lui le désir de contribuer.

Un système compréhensif implique que nous soyons initiés. Nous sommes interdépendants, absolument incapables de productivité par nous-mêmes. L'interdépendance exige une communication sans restriction. La communication sans restriction et le processus exclusif sont contradictoires.

On peut définir de trois manières cette conception compréhensive.

Premièrement, il existe toujours certains signes qui montrent que l'on est inclus :

— être nécessaire,
— être impliqué,
— être traité comme un individu,
— recevoir un salaire décent et une part des bénéfices,
— avoir l'occasion de donner le meilleur de soi (seuls les dirigeants prêts à prendre des risques peuvent fournir une telle occasion),
— avoir l'occasion de comprendre,
— participer à l'action — gains de productivité, partage des bénéfices, appréciation de l'actionnariat, primes d'ancienneté.

Deuxièmement, la conception compréhensive me fait envisager la société, l'entreprise ou l'administration comme un lieu où le potentiel se réalise. Elle m'aide à envisager un lieu où le potentiel se réalise en pensant à certains cadeaux dont le dirigeant est redevable. Diriger, c'est se trouver en position de devoir aux autres. Les dirigeants qui ont une attitude compréhensive se considèrent comme débiteurs, en tout cas de ce qui suit :

— l'espace : le droit d'être ce que je peux être,
— l'occasion de servir,
— les mises au défi : nous ne grandissons pas si nous ne somme pas mis à l'épreuve (les contraintes, comme les faits, sont des amis qui vous donnent des possibilités),
— la signification : non pas superflue, mais valable ; non pas superficielle, mais intégrale ; non pas conditionnelle, mais permanente.

Voici quelques points de vue sur les dirigeants et le souci d'inclure tout le monde. Inutile de vous dire dans quel camp je me situe.

Lors d'une conférence organisée par l'American Management Association pour les présidents de sociétés, l'un des intervenants invités a déclaré avec le plus grand sérieux : "Je veux que mes hommes soient méchants, accrocheurs et dévorés par le goût du pouvoir." Il nous a également donné sa version de la Règle d'Or : "C'est celui qui possède l'or qui fait les règlements."

D'un autre côté, au cours d'une réunion de conseil d'administration à laquelle j'assistais il y a quelque temps, un dessinateur industriel nommé Bill Stumpf, qui enseignait alors à l'université du Wisconsin, posa les questions suivantes :

— Une entreprise doit-elle mettre la vie en question ?
— L'artiste a-t-il un rôle à jouer au sein de l'entreprise ?
— Quel est le lien entre l'espérance et la réalisation ?
— Qu'est-ce qui garantit l'existence de l'entreprise ?

Finalement, il existe un troisième moyen de comprendre et de définir une attitude compréhensive. Le capitalisme compréhensif requiert quelque chose de chacun. Les gens doivent réagir activement à la possibilité d'être inclus. Bien entendu, le fait d'appartenir a son prix :

— Etre loyal est plus important que réussir. Si nous réussissons aux yeux du monde, alors que nous nous montrons déloyaux envers nos croyances, c'est que nous échouons dans nos efforts vers l'initiation.
— Les entreprises doivent, et devraient avoir un objectif de rédemption. Nous avons besoin de jauger la pragmatique à la lumière de la morale. Nous devons comprendre que réaliser notre potentiel a plus d'importance qu'atteindre nos objectifs.
— Nous avons besoin de devenir vulnérables aux yeux des uns et des autres. Nous devons nous donner mutuellement l'occasion de réaliser notre potentiel.

— Appartenir exige que nous soyons décidés et prêts à prendre des risques. Le risque est comme le changement, ce n'est pas un choix.

— Appartenir implique l'intimité. Etre initié n'est pas un sport de spectateur. Cela signifie : de la valeur ajoutée. Cela signifie : être pleinement et personnellement responsable. Cela signifie : oublier la superficialité.

— Enfin, nous avons besoin d'apprendre ensemble. Le processus régulier du devenir se développe chez la plupart d'entre nous pendant la durée de notre vie. Nous avons besoin de rechercher la maturité, l'ouverture d'esprit, la sensibilité.

C'est lorsque les gens répondent à ces exigences et en payent le prix que les occasions d'être nécessaire, d'être impliqué et de participer deviennent des droits.

La seule façon de conserver ces droits est de les exercer intelligemment, de manière constructive, coopérative, productive. Inclure réellement d'autres gens signifie les aider à comprendre. Cela veut dire qu'on leur donne l'occasion de faire de leur mieux. Etre inclus, vu la diversité de nos dons, est indispensable à l'équilibre que la justice exige et inspire.

Si l'on accepte les prémices concernant le concept des individus, si l'on accepte l'idée de relations reposant sur une convention, si l'on cherche à appliquer l'approche compréhensive au système capitaliste, a-t-on une chance de réussir ? Il y a dans le système capitaliste des normes de réalisation auxquelles il faut répondre, des niveaux à maintenir, des services à fournir, des profits à faire, un avenir qui doit être assuré, et des emplois qui doivent être distribués.

Cette approche peut-elle réussir ? Je n'en suis pas sûr, bien que j'aie constaté quelques signes avant-coureurs, voire des résultats encourageants. Mais il y a aussi de véritables difficultés. Cette façon de concevoir la direction d'une entreprise n'est pas facile. Elle exige beaucoup de vous, et peut parfois vous décourager, puisque après tout, nous sommes tous des êtres humains. Car le respect de l'appartenance signifie que l'on inclut les problèmes humains normaux dans le système.

J'ai certes conscience de la sophistication de plus en plus grande des chefs d'entreprise performants de notre époque. Ils forment une partie importante du système capitaliste. On doit admirer leur habileté à quantifier. Mais je me demande s'il leur arrive quelquefois de se préoccuper de l'esprit. Examinent-ils ce qui sera important demain, et pas seulement les questions à régler aujourd'hui ?

Il est non seulement nécessaire et souhaitable, mais également facile, de faire participer les gens à des comités, des déjeuners ou même des bénéfices. C'est aussi facile que de rédiger des contrats.

Mais il est plus difficile, et beaucoup plus important, de s'engager dans une conception collective des individus, d'admettre la diversité des dons, les relations reposant sur des conventions, une communication sans restrictions, la prise en considération de tous, et de croire que diriger, c'est être redevable.

Même forts de cet engagement, il faut espérer que nos tentatives d'ouverture des portes du système capitaliste ne connaîtront pas le sort qu'évoquent les propos d'une Israélienne de l'ancienne génération rapportés dans le *National Geographic*. Elle disait, parlant des jeunes Sionistes : "Ils ont ouvert les portes du monde, mais ils ont fermé celles du Ciel à jamais."

(*National Geographic* 168, N° 1 (Juillet 1985) : pp.4-5)

Chapitre 8

# HISTOIRES DE GEANTS

Qu'est-ce qu'un géant ? Beaucoup de choses, ma foi. Des gens comme vous et moi peuvent devenir des géants.

*Les géants voient des occasions là où nous voyons des difficultés*. L'un des géants de l'histoire de Herman Miller s'appelle Jim Eppinger. Jim a été le directeur des ventes de la société dans les années trente et quarante, en particulier pendant cette période de transition où nous avons cessé de fabriquer des bonnes copies de mobilier traditionnel pour apprendre à vendre les nouveaux modèles révolutionnaires de Rhode, Nelson et Eames. Ce furent des années difficiles, réellement difficiles, que peu de gens comprennent vraiment.

Un jour, j'étais en train de déjeuner avec mon père et Jim Eppinger — deux vieux compagnons de route qui avaient permis à la société de survivre pendant la

Dépression. Ils parlaient avec humour et nostalgie de certaines difficultés rencontrées jadis, en particulier à cette époque-là.

Mon père rappela à Jimmy cette histoire : ils s'étaient retrouvés chez Jimmy dans le New Jersey pour Noël, et mon père avait constaté que cette famille n'avait ni sapin traditionnel ni cadeaux. Mon père savait pourquoi : l'entreprise n'avait pas suffisamment d'argent pour payer les commissions sur les ventes qu'elle devait à ses agents.

Papa ajouta que Jim avait probablement oublié cet épisode, mais que pour lui, c'était un souvenir vivace parce qu'il s'était senti responsable du fait que la famille de Jim n'avait pas eu un vrai Noël. Pourtant, Jim lui dit : "Je me souviens de ce soir-là comme si c'était hier, car ce fut pour Marian et moi l'un des grands moments de notre vie." Et quand mon père, étonné, demanda : "Comment cela ?", Jim répondit: "Allons, vous ne vous en souvenez pas ? C'est le soir où vous m'avez confié le secteur de New York. La plus grande chance qui m'ait jamais été donnée."

*Les géants savent donner de l'espace à autrui,* tant au sens personnel que collectif, l'espace qui permet à autrui d'être ce qu'il peut être. L'un de mes géants préférés est George Nelson. A la fin des années 40, Herman Miller a lancé sa ligne merveilleuse et, aujourd'hui encore, parfaitement appropriée, de mobilier résidentiel. Au cours des semaines où l'on se préparait à introduire ses projets sur le marché, un autre géant a surgi à la faveur d'une exposition au Musée d'Art Moderne : Charles Eames.

George se donna beaucoup de mal pour convaincre mon père et Jim Eppinger d'écrire à Charles, afin que ses créations soient acceptées dans le catalogue de Herman Miller. Mon père répondit en substance la chose suivante à George : "Nous nous apprêtons juste à introduire vos premiers produits sur le marché. Nous ne sommes pas une grande société. Nous ne pourrons jamais verser d'importantes royalties. Souhaitez-vous réellement partager cette modeste chance avec un autre styliste ?" Le commentaire de George fut : "Charles Eames possède un talent inhabituel. Il est très différent de moi. La société a besoin de nous deux. Je désire fortement partager avec Charles Eames les possibilités qui existent."

Dans les années qui suivirent, tout le monde reconnut en Charles Eames l'un des plus grands dessinateurs de mobilier depuis Chippendale.

*Les géants attrapent les balles rapides.* L'un des géants de Herman Miller est un homme nommé Pep Nagelkirk, qui est probablement le maquettiste le plus talentueux dont j'ai jamais entendu parler. Il a été au service des stylistes de la maison pendant trente-cinq ans. Il a le don particulier de traduire les idées et les croquis en prototypes. Il est un élément indispensable de chaque ligne de modèles que nous lançons. Il sait attraper les balles rapides.

Car si une balle rapide suffit pour un lanceur, ce n'est jamais suffisant pour une équipe. Les entreprises et les individus peuvent lancer des bonnes idées à la cantonade autant qu'ils veulent, quand il n'y a pas de géant comme Pep Nagelkirk pour les attraper, ces idées peuvent tout aussi bien disparaître. Chez Herman Miller, nous avons des centaines de géants comme Pep Nagelkirk, qui savent attraper des balles rapides. Sans géants pour attraper, il ne peut pas y avoir de géants pour lancer.

*Les géants ont des talents particuliers.* Un autre de nos géants est Howard Redder, un chef de département qui vient de prendre sa retraite. Howard n'a pas fait d'études secondaires. Il a travaillé toute sa vie en usine et a gravi tout seul les échelons, pour devenir l'un des meilleurs chefs de département que nous ayons jamais connus. Mais en dehors de cela, Howard détient un talent particulier.

Il sait, avec plus de sensibilité et d'efficacité que quiconque dans l'entreprise, faire travailler les employés handicapés. Ceci est très important car nous sommes convaincus, en tant que société, que la diversité de la population générale doit se refléter dans la population de nos travailleurs. Ce don spécial, savoir donner à un handicapé l'espace, le soutien et les encouragements nécessaires pour qu'il soit productif et se sente impliqué au même titre que nous, engendre une autre catégorie de géants.

*Les géants permettent aux autres d'exprimer leurs talents propres.* Le dernier géant que j'aimerais mentionner est mon père. A l'époque de la Dépression, quand il s'efforçait avec quelques collaborateurs d'assurer la survie de l'entreprise, il a su accueillir des gens tels que Gilbert Rhode, puis George Nelson, Charles Eames et Alexander Girard, alors qu'il ne connaissait à peu près rien au stylisme, aux stylistes ni au processus de leur création. Mais il a été suffisamment perspicace pour voir la diversité de leurs dons, ce qui lui a permis de s'abandonner, personnellement et professionnellement, à l'exercice de ces dons.

Deux enseignements, pour le moins, ressortent de ces histoires de géants. Le premier est que, si la productivité a son importance, donner de l'espace aux géants est encore plus important. Le deuxième est qu'en accordant de l'espace aux géants, on leur donne l'occasion, ainsi qu'aux autres, de devenir les dirigeants occasionnels dont j'ai parlé précédemment. Ces deux leçons peuvent parfois affecter douloureusement la direction hiérarchique. Mais si vous souhaitez que votre entreprise fonctionne efficacement, il vous faudra l'aider à s'ouvrir aux géants, à tous les niveaux.

Chapitre 9

# HISTOIRES TRIBALES

Voici l'histoire que le Dr. Carl Frost, un bon ami et conseiller de notre société, raconte de son séjour au Nigeria à la fin des années soixante.

L'électricité venait juste d'être installée dans le village où il habitait avec les siens. Chaque famille avait une ampoule unique dans sa hutte. Signe indiscutable de progrès. Le seul problème était que, la nuit, bien que n'ayant rien à lire et ne sachant pour la plupart même pas lire, les habitants du village s'asseyaient dans leur hutte, contemplant avec effroi ce magnifique symbole de la technologie moderne.

La contemplation de l'ampoule lumineuse se mit à remplacer les veillées traditionnelles autour du feu tribal, où les anciens racontaient les hauts faits de l'histoire de la tribu. Celle-ci commença à perdre son histoire à la lumière de quelques ampoules électriques.

Cette anecdote permet d'illustrer la différence

existant entre une direction scientifique et une direction tribale de l'entreprise. Chaque famille, chaque faculté, chaque corporation, chaque institution a besoin de conteurs traditionnels. Faute de les écouter, on perd son histoire, son contexte historique, les valeurs qui vous lient. A l'instar de la tribu nigériane, tout groupe d'individus se mettra à oublier son identité s'il perd la continuité entretenue par la tradition.

La réserve de valeurs de Herman Miller est un exemple de la continuité dont je parle. Herman Miller est un groupe d'individus qui, travaillant et, plus souvent que nous ne voulons bien l'admettre, combattant ensemble, ont fait la différence. C'est ainsi que nous sommes devenus une entreprise performante. Notre réserve de valeurs est née de notre histoire et de nos coutumes. Ces valeurs sont l'exemple concret de ce qu'une entreprise dynamique de notre temps peut véhiculer à travers les récits tribaux. Peut-être avez-vous, ainsi que votre entreprise, certaines de ces valeurs en commun avec nous.

*Nous sommes une entreprise dont la production est conditionnée par la recherche.* Nous ne sommes pas conditionnés par le marché. Cela signifie que pour satisfaire les besoins jusqu'alors non satisfaits de nos clients et leur proposer un style et une réalisation qui résolvent les problèmes, nous examinons consciencieusement notre environnement, notre travail et nos problèmes. C'est ainsi que nous sommes tenus de bien concevoir les produits et les systèmes.

Nous sommes tenus d'étendre cette conception à

notre cadre de travail, y compris, et plus particulièrement, l'architecture et les équipements que nous-mêmes et notre clientèle utilisent. Nous sommes tenus d'appliquer le même niveau de concept à toutes nos communications et tous nos dessins. Nous sommes tenus d'avoir un bon concept même quand il s'agit des situations, en particulier les situations et les événements qui influent sur la qualité de nos relations avec les autres.

*Nous sommes décidés à apporter une contribution à la société.* Nous souhaitons apporter cette contribution par l'intermédiaire des produits et des services que nous proposons, mais aussi par la façon dont nous les proposons. En cette ère de haute technologie, nous souhaitons être une société à "haute sensibilité", qui construit un environnement commun aux individus et à la technologie dans les marchés que nous choisissons d'approvisionner. Nous voulons être socialement responsables, et réagir adéquatement à la demande de la société.

Comme le faisait remarquer Tom Pratt, qui est à la fois un de mes amis et membre de mon équipe de travail chez Herman Miller, "La vie et le travail sont intrinsèquement chargés de sens, et méritent par conséquent une attention et un soutien éclairés."

*Nous sommes entièrement dévoués à la qualité.* La qualité, comme disait mon père, D. J., est une affaire de vérité. Lorsque nous parlons de qualité, nous voulons dire : qualité des produits et des services. Mais nous faisons également référence à la qualité de nos relations et de notre communication avec autrui, et à la qualité des promesses qui nous engagent mutuellement. Aussi est-il raisonnable de penser à la qualité en termes de vérité et d'intégrité.

Mon dictionnaire personnel, quand il s'agit de définir le terme intégrité, engage à consulter le mot honneur. Cette proposition se détache parmi quelques autres : "Le juste sens de ses obligations." C'est à mon avis la manière dont il faut envisager la qualité.

*Nous devons devenir, pour tous ceux qui sont impliqués, un lieu où les potentiels se réalisent.*

Voilà une des valeurs de Herman Miller. N'importe quelle institution, et j'entends les individus qui la composent, doit offrir une éducation et une formation de premier ordre. Chez Herman Miller, chacun a le droit de rencontrer d'authentiques occasions dans le cadre du processus de participation.

Chacun de nous, et plus particulièrement ceux qui ont la responsabilité de diriger, doivent s'efforcer de procurer aux autres "le don d'espace", c'est-à-dire l'espace nécessaire pour devenir ce que nous pouvons être au sein de l'entreprise.

Chacun a droit à cet espace sans considération de couleur, croyance, sexe, niveau de talent ou de coordination. Dans la mesure où nous désirons être un lieu où les potentiels se réalisent, les gens qui travaillent chez Herman Miller doivent refléter la diversité de Dieu et non celle de nos choix.

Nous sommes tenus de manifester un sens

d'initiative élevé quand il s'agit de faire du capitalisme un système de relations compréhensif, et non un structure exclusive constituée de barrières.

*Nous sommes tenus de nous montrer responsables dans l'utilisation de notre environnement et de nos ressources contingentes.*

Notre propos est d'obtenir des résultats exceptionnels en nous mettant au service des talents et des ressources, des outils et des gabarits, des idées et des projets, des installations et des lieux de travail. Tout ceci concourt à produire un *résultat équitable* et légitime pour les employés, les clients, les investisseurs, le public et les communautés où nous vivons et travaillons.

*Nous confions délibérément notre énergie et notre talent, ainsi que nos ressources financières, aux établissements et institutions ayant pour objectif le bien commun.*

Nous ne pouvons pas vivre dans l'ignorance des besoins de la société.

*Il est essentiel pour nous que nous préservions notre avenir sur le plan économique.*

Faire des profits est aussi indispensable que respirer. Bien qu'il ne soit pas le seul but de notre vie, si l'on considère les occasions qui s'offrent à nous, le profit doit cependant être le résultat de notre contribution.

*Nous considérons, chez Herman Miller, que les*

*questions de cœur et d'esprit ont de l'importance pour chacun d'entre nous.*

Elles comptent dans notre famille, dans notre travail et dans nos activités extra-professionnelles. Nous sommes des êtres doués d'émotions, qui essaient par l'intermédiaire de la production, de la connaissance, de l'information et des relations, de faire du bien à autrui, à la fois personnellement et par les moyens dont nous disposons pour améliorer l'environnement.

Dans un monde difficile, fractionné et complexe, dans les circonstances d'échec et de succès, et particulièrement dans les joies et les tragédies de nos vies personnelles, nous agissons les uns sur les autres. Cette "action" est au cœur de ce que nous sommes réellement.

Au cœur de ce que nous sommes réellement se trouve l'attente d'un défi. Il ne s'agit pas d'un mystère externe — ce que nous pouvons être est enfoui au fond de chacun de nous, car tout ce que nous pouvons faire exprime le caractère des individus qui constituent cette entreprise.

*Nous sommes engagés à fond dans le projet Scanlon*, un plan qui prévoit la mise en pratique de la participation, y compris dans la productivité et dans le partage de bénéfices, et que de nombreuses sociétés américaines appliquent. Il existe quelques raisons bonnes et fondamentales pour que cette pratique de la participation s'épanouisse particulièrement bien chez Herman Miller.

Elle permet que s'expriment les différents dons des

individus, en mettant spécialement l'accent sur la créativité et la qualité du processus. Elle alimente la production d'idées, la solution des problèmes, la gestion des changements et des conflits. Bien que nous y ayons travaillé pendant plus de trente-cinq années, cela demeure encore une idée, une idée porteuse d'une énergie considérable. C'est par une quête constante de ce qui est et de ce qui peut être que les individus et les groupes réalisent leur potentiel.

Dans un groupe tel que Herman Miller, nous avons à la fois la diversité personnelle et la diversité corporative. Lorsque nous parlons de diversité corporative, nous pensons aux dons, aux talents et aux engagements que chacun de nous, en tant qu'individu, apporte aux efforts du groupe. Correctement canalisée et convenablement intégrée, notre diversité peut se révéler comme notre plus grande force. Mais il y a toujours la tentation d'utiliser ces dons pour notre profit personnel plutôt que de les offrir au groupe. Pourtant, s'ils sont utilisés égoïstement, ils provoqueront une grave érosion interne. Le processus d'intégration consiste simplement à s'abandonner à la force des autres, à être sensible à ce que les autres peuvent réaliser mieux que nous.

Le concept d'égalité humaine n'est pas affecté par la hiérarchie de l'entreprise. Nous comprenons que l'entreprise n'est une entité que dans la mesure où elle est l'expression de chacun de nous en tant qu'êtres individuels. Nous savons que l'âme et l'esprit, les dons, le cœur et la dignité de chacun de nous s'unissent pour transmettre ces mêmes qualités à l'entreprise.

Nous autres qui investissons nos vies dans Herman Miller ne sommes ni l'eau qui vient au moulin, ni les hommes de main de mystérieux et lointains actionnaires. Nous sommes Herman Miller, de la même façon qu'une faculté et ses membres sont l'université. Jamais l'entreprise ne peut être ce que nous ne sommes pas.

Nous autres, chez Herman Miller, qui formons un groupe d'individus très divers, partageons cet ordre de valeurs communes dans une très grande mesure. Les racines de ce système de valeurs diffèrent pratiquement d'un individu à l'autre, mais la manière dont nous l'exprimons et le comprenons est d'une remarquable cohérence.

Un idéal, des idées et des objectifs partagés, un respect commun, le sens de l'intégrité, de la qualité, du soutien actif et de la compassion, voilà la base du système de valeurs et de conventions qui fonctionne chez Herman Miller. Ce système de valeurs ne s'applique peut-être pas à tout le monde. Il doit être explicite. Le système et l'entente collective qui l'accompagne nous permettent de travailler ensemble, non pas dans la perfection, évidemment, mais du moins d'une manière nous permettant d'avoir une chance d'être un don pour l'esprit.

Nous travaillons pour maintenir ces valeurs. Et pourtant, tout système de croyances est menacé de changement, et le changement est une chose à laquelle personne ne peut échapper. Les entreprises individuelles, lorsqu'elles sont couronnées de succès, ont tendance à devenir des institutions. Les institutions engendrent la bureaucratie, qui est la forme de relation la plus stupide et la plus superficielle. La bureaucratie est capable de niveler nos dons et nos compétences. Les anciens de la tribu, ceux qui racontent son histoire, doivent sans relâche travailler au processus de renaissance collective et revitaliser les valeurs tribales. Leur examen attentif des valeurs du groupe éradique la bureaucratie et soutient l'individu. Un renouvellement constant nous permet également d'être préparés aux crises inévitables de la vie en groupe.

L'intérêt du renouvellement est d'être une entité corporative qui nous offre l'espace nécessaire pour réaliser notre potentiel en tant qu'individus et, par là-même, en tant que groupe. Le renouvellement est possible quand on sert réellement les autres. Il ne peut se manifester par un processus de simple continuation de l'individu. Le renouvellement concerne tout le monde, mais il est le secteur privilégié du conteur de la tribu.

Chaque entreprise a son histoire tribale. Quand bien même les conteurs de la tribu seraient rares, chacun devrait néanmoins veiller à ce que des choses aussi triviales que des manuels ou des ampoules électriques ne prennent pas leur place.

Chapitre 10

# QUI EST LE PROPRIETAIRE ICI ?

Globalement, il existe trois catégories de propriétaires dans une société américaine typique. Les premiers, que l'on considère normalement comme les propriétaires, se contentent d'investir de l'argent dans l'affaire. Les seconds, parce qu'ils ont consacré leurs années de travail à l'entreprise, y ont investi leurs vies et leurs talents. Les troisièmes, dont la contribution est essentielle, y investissent une aptitude ou un talent particuliers, ou encore de l'énergie créatrice, et sont fortement attachés à l'entreprise, quoique à temps partiel.

Pour comprendre une société, il faut comprendre les caractéristiques de ses propriétaires telles qu'elles s'expriment dans la manière dont ils la dirigent et dans leur comportement individuel. Quiconque doit servir une entreprise, que ce soit comme consultant professionnel ou comme employé et propriétaire à plein temps, doit comprendre l'état d'esprit de la propriété.

Quel devrait être notre état d'esprit devant la propriété ? Les propriétaires sont-ils tenus d'accomplir une performance à court ou à long terme ? Doivent-ils choisir la croissance physique ou la maturité ? A quel type de direction de l'entreprise le propriétaire est-il tenu ? Les propriétaires considèrent-ils le travail comme une maladie ou comme une chance ? Quand il s'agit d'idées et de talents particuliers, se voient-ils jouer un rôle de serviteurs ou de possédants ? Compte tenu de l'environnement complexe dans lequel nous travaillons et vivons tous, les propriétaires se consacrent-ils au service des gens, ou à l'accumulation d'objets et d'argent ? En d'autres termes, la vie des propriétaires se résume-t-elle uniquement à la mesure et l'accumulation des biens matériels ?

Un point de vue de propriétaire a été révélé récemment dans un magazine d'affaires, quand on a demandé au président d'une entreprise privée s'il adopterait une tactique différente si sa société appartenait au public. Il a répondu : “Si je savais que mes émoluments de l'an prochain vont être calculés d'après le rendement de l'action pour l'année en cours, certainement pas, je n'agirais sûrement pas de la même manière. Dans une société cotée en Bourse, on ne dispose que de quelques années au sommet pour faire une réussite exceptionnelle. On veut faire rentrer chaque sou dans le bénéfice net de l'action pour pouvoir récupérer la prime de départ la plus juteuse possible.”

On trouvera un contrepoint admirable à cette position dans *Servant Leadership*, un livre fort avisé de

Robert Greenleaf, qui fut directeur chez AT&T pendant vingt ans. "L'amour est un terme indéfinissable, dont les manifestations sont à la fois subtiles et infinies." Il ne répond qu'à une "condition absolue : une responsabilité illimitée ! Dès que la responsabilité de l'un envers l'autre est qualifiée d'une manière ou d'une autre, l'amour est diminué d'autant." (*Servant Leadership*, New York : Paulist Press, 1977, p. 38).

Les propriétaires sont responsables d'un actif stable et aussi d'un legs pour les héritiers de l'entreprise. Chez Herman Miller, les propriétaires et les héritiers de l'affaire sont souvent la même personne, tout comme les propriétaires et les employés. Cela a commencé à se produire il y a plus de vingt ans, quand des actions ont été vendues à un petit groupe de cadres supérieurs qui avaient engagé leur carrière dans la société.

Nous sommes aujourd'hui l'une des rares sociétés américaines cotées en Bourse où cent pour cent des employés réguliers à plein temps travaillant pour la société aux Etats-Unis depuis au moins un an, sont des actionnaires. Ces deux rôles impliquent des responsabilités et des récompenses.

J'ai entendu un jour une anecdote qui illustre fort bien cette idée. L'un de mes amis enseignait à Harlem. Il pensa que ce serait une bonne chose d'emmener ces petits gars de la ville passer une semaine dans un camp. L'une des premières choses qu'il fit, et cela semble tout naturel, fut d'organiser une partie de baseball.

Il se produisit un incident curieux. Personne ne voulait jouer en fond de terrain. Il en comprit vite la raison. Le fond du terrain était entouré de bois où se dissimulaient toutes sortes de dangers inconnus. Mon ami affecta deux garçons à chaque poste du fond de terrain. L'un enfilait le gant, l'autre surveillait les bois. Chaque individu et chaque fonction étaient essentiels. Et la partie put avoir lieu.

Chez Herman Miller, il y a un propriétaire et un employé à chaque poste. C'est parce que chacun agit parfois comme un employé, parfois comme un propriétaire, et parfois comme un peu des deux, que les employés-actionnaires accomplissent le processus de gestion-participation que nous avons depuis 1950. Le plan Scanlon, introduit sous la direction du Dr. Carl F. Frost, incarne très réellement le paradigme de l'employé-actionnaire.

Il est indispensable, pour que les identités soient franchement déclarées, que les employés détiennent des actions. La motivation n'est pas la vraie solution. De la motivation, tous les employés de Herman Miller en ont à revendre. Ce dont les gens ont besoin, c'est d'être libérés, de se sentir impliqués, d'être responsables et de réaliser leur potentiel. Nous pensons que davantage de travailleurs propriétaires sont en train de remporter la lutte pour l'identité et la justification du travail contre l'anonymat et la frustration.

Laisser aux employés la possibilité de détenir des actions, c'est aussi une réalité compétitive. Rien n'est donné. La propriété, cela se gagne et se paie. Au cœur de cette notion se trouve le partage de bénéfices, et il n'y a pas de partage s'il n'y a pas de bénéfices. Le risque et la récompense sont liés l'un à l'autre de manière logique et équitable.

Il n'y a pas la moindre suffisance condescendante dans tout ceci, mais plutôt une certaine moralité dans le fait de relier la responsabilité partagée des employés à la propriété partagée. Ceci confère justesse et permanence à la relation que chacun de nous entretient avec son travail et avec autrui.

La propriété d'actions est une merveilleuse façon d'impliquer une famille entière dans la carrière de celui qui travaille pour une société. Une cohérence irrésistible plaide pour la notion d'employé-actionnaire.

Récemment, une employée et actionnaire de Herman Miller, qui préparait sa maîtrise à l'Aquinas College, m'a confié que deux de ses professeurs, qui travaillent pour d'autres entreprises, lui avaient demandé : “Quelle est le bénéfice net de l'action, dans le plan Scanlon ? ” Je lui suggérai d'attirer leur attention sur la première section du dernier rapport annuel, c'est-à-dire des interviews réalisées, transcrites et publiées sans que je les aie critiquées ni approuvées. Certaines sociétés pourraient estimer ce genre de risque insupportable, mais c'est un risque que prennent fréquemment les employés-actionnaires d'un bon système de participation. La plupart du temps, les résultats justifient amplement le risque.

Autre implication : chacun doit vivre dans l'attente d'occasions importantes. Ceux qui détiennent une part de la société prennent davantage garde à leurs performances personnelles. Des actionnaires ne peuvent pas tourner le dos aux problèmes. Ainsi, la responsabilité de chacun de nous commence à changer.

La propriété exige de chacun de nous une maturité croissante. La maturité s'incarne probablement le mieux dans un niveau d'instruction qui s'améliore sans cesse : une connaissance élargie dans les domaines des affaires, de la participation, de la propriété, de la compétition. Un groupe de propriétaires se consacrant à la même organisation, aux mêmes objectifs, au même système de valeurs, doit savoir des choses dans de nombreux domaines. Etre propriétaire implique que l'on s'engage à être aussi informé que possible de l'ensemble des sujets.

Enfin, il est important de se souvenir que nous ne pouvons pas devenir ce que nous avons besoin d'être en demeurant ce que nous sommes. Chez Herman Miller, nous sommes voués à faire tout notre possible pour évoluer, tant comme employés que comme propriétaires. A partir du moment où ces deux rôles se fondent en un seul, les attitudes antagonistes — ouvriers contre direction, ou fournisseur contre producteur, ou détaillant contre consommateur — tendent à disparaître. La fusion des employés et des propriétaires est déjà en train de se produire dans plusieurs endroits.

Le système capitaliste se portera inévitablement mieux en acceptant que les employés agissent de plus en plus comme s'ils étaient propriétaires de l'entreprise.

Chapitre 11

# COMMUNIQUEZ !

Il existe dans la plupart des organisations en bonne santé un lien commun d'interdépendance, d'intérêt mutuel, de contributions imbriquées et de joie simple. Une partie de l'art de diriger consiste à s'assurer que ce lien commun est maintenu et renforcé, et cette tâche exige à coup sûr une bonne communication. De même que toute relation, pour rester vivante, requiert une communication honnête et ouverte, les relations au sein de l'entreprise s'améliorent quand l'information circule librement et avec précision.

La meilleure manière de communiquer la base des liens et des valcurs communes d'une entreprise ou d'une institution passe par le comportement. La communication par le comportement est fréquente. Dans le cas de grandes sociétés disséminées à travers le monde, nous devons trouver d'autres moyens de communication que le comportement, en particulier lorsqu'il s'agit de communiquer des informations intangibles, importantes et délicates à des groupes d'individus éloignés les uns des autres.

Qu'est-ce qu'une bonne communication ? Que réussit-elle à accomplir ? C'est une condition préliminaire pour apprendre et enseigner. C'est la manière par laquelle les gens peuvent franchir les fossés creusés par une société qui grandit, rester en contact les uns avec les autres, établir des relations de confiance, demander de l'aide, observer les résultats et partager leurs points de vue. La communication rend accessible la notion d'actionnariat-participation en construisant des relations à l'intérieur comme à l'extérieur de l'entreprise.

Une bonne communication ne consiste pas simplement à envoyer et recevoir. Pas plus qu'elle n'est simplement un échange mécanique de données. Quand bien même la communication serait excellente, si personne n'écoute, cela ne sert à rien. La meilleure communication, c'est celle qui vous *oblige* à écouter.

A la racine, la communication et l'une de ses formes, le langage, sont assujetties à une convention, une culture. Une communication malhonnête ou négligente nous en apprend autant sur les gens qui la pratiquent que sur tout le reste. La communication est une affaire d'éthique. La bonne communication implique le respect des individus.

La véritable épreuve, c'est de faire de la bonne communication un outil pratique et utilisé à bon escient. Vous êtes alors en mesure de la prendre et de vous en servir sans même y penser.

Un jour, notre petit-fils s'est enfermé dans la salle de bains. En dépit des efforts désespérés de sa mère pour ouvrir la porte, rien n'y a fait. Ensuite, elle a appelé la police, qui échoua à son tour. (Pendant tout ce temps, l'enfant glissait sa main sous la porte pour toucher celle de sa mère. Parlons-en, de la bonne communication ! ). Finalement, sa mère a fait appel aux pompiers. Quand les camions de la brigade sont arrivés, cela a fait un beau spectacle sur la pelouse de devant. Les pompiers se sont empressés de détruire la porte avec leurs haches, des instruments dont ils connaissent fort bien le maniement.

Quand notre fils Chuck est rentré chez lui, au moment où le suspense battait son plein, il n'a pas compris tout de suite ce qui se passait. Il n'y avait ni flammes ni fumée, mais la porte et le chambranle de sa salle de bains étaient en miettes.

Le lendemain, au bureau, il s'est plaint à un collègue des dégâts intervenus. Celui-ci lui a fait remarquer que l'on pouvait tirer de l'incident une leçon de gestion. "Un pompier dispose de deux instruments, une hache et une lance d'arrosage. Si tu l'appelles, il va se servir de l'un ou de l'autre."

Chacun de nous a tendance à utiliser des outils familiers, qui lui inspirent confiance. Parmi les outils les plus familiers, qui inspirent confiance à un dirigeant, il y a ceux de la communication. Nous les utilisons ou non à bon escient, mais c'est une autre question. Il en est de la communication habile comme de la hache du pompier : elles sont assorties d'obligations.

Une grande quantité d'obligations vont de pair avec la bonne communication. Nous devons comprendre que l'accès à une information pertinente est essentiel si l'on veut qu'un travail soit fait. Le droit de savoir est fondamental. De surcroît, mieux vaut courir le risque de partager trop d'informations que celui de laisser quelqu'un dans l'obscurité. L'information est le pouvoir, mais c'est un pouvoir sans intérêt si elle est thésaurisée. Le pouvoir doit être partagé, pour qu'une organisation ou une relation fonctionne.

Chacun a le droit et l'obligation d'obtenir la simplicité et la clarté dans la communication. Nous nous devons mutuellement vérité et courtoisie, même si parfois la vérité est véritablement contraignante, et la courtoisie malaisée. Mais qu'on ne s'y trompe pas — ce sont justement les qualités qui permettent à la communication de nous éduquer et de nous libérer.

Nous sommes obligés de pratiquer l'art de l'examen rigoureux. Cet art est lié à plusieurs choses : le respect de la langue anglaise, la conscience qu'une expression verbale confuse correspond généralement à une pensée confuse, et que notre auditoire peut attendre de nous quelque chose de spécial. L'art de l'examen rigoureux peut mettre à jour ce que j'appelle "le courrier de troisième classe", des messages qui n'ont pas de sens. Le courrier sans intérêt n'a pas plus de raison d'être dans le cadre de l'entreprise que dans nos foyers.

Si nous pensons à la bonne communication comme à un outil et gardons ces obligations à l'esprit, nous allons pouvoir tirer avantage d'un moyen d'élargir notre travail et notre vie. Les outils font quelque chose.

Il en va de même pour la communication. La communication remplit deux fonctions, décrites par deux termes "orientés vers l'action" : éduquer et libérer.

"Eduquer" vient de deux mots latins qui signifient "conduire" ou "extraire de". La bonne communication extrait de notre conscience le sens du travail collectif. Nous ne pouvons pas faire de la bonne recherche, nous développer convenablement, prendre des décisions, donner des ordres — nous ne pouvons tout simplement pas *faire des affaires* sans savoir ce que nous devons attendre d'autrui.

Enseigner et apprendre sont la base de l'instruction et de l'action en matière d'affaires. L'instruction, dans ce domaine, est le "pourquoi" de l'activité des entreprises, tandis que l'action est "ce" qu'elles font.

De quelle autre manière la communication peut-elle nous éduquer ? Une bonne communication peut nous enseigner les réalités de notre économie et le besoin que cette économie a de notre activité. C'est seulement par l'intermédiaire d'une bonne communication que nous pouvons connaître les besoins et les demandes de nos clients.

C'est seulement par l'intermédiaire d'une bonne communication que nous pouvons véhiculer et conserver une vision commune de l'entreprise. La communication peut affiner, incarner et aider à réaliser cette vision. Nous comprenons tous que dans notre vie professionnelle et familiale, l'*absence* de commentaires, de questions, de réponses et d'opinions est une puissante communication. Voici quelques exemples de la façon dont une bonne communication peut nous éduquer.

Une bonne communication nous donne la liberté de mieux faire notre travail. C'est aussi simple que cela. Une bonne communication au sein de l'entreprise nous permet de répondre aux demandes qui nous sont soumises et d'endosser nos responsabilités. Par ailleurs, cela signifie véritablement que des dirigeants peuvent utiliser la communication pour libérer les gens qu'ils dirigent. Pour libérer les gens, la communication doit reposer sur la logique, la compassion et le bon sens.

Ce sens du raisonnable s'étend au système de mots et de signes qu'une société et ses clients adoptent ensemble. Une communication bonne et lucide implique que l'on ait recours aux mêmes symboles de travail bien fait et de réussite. Platon a dit qu'une société cultive toute chose qui y est honorée. Ne nous trompons pas sur ce que nous honorons. Si ces symboles sont bien compris, nous pouvons nous donner réciproquement les moyens d'agir, et nous y parvenons.

Au fur et à mesure qu'une culture, ou une entreprise, évolue et devient plus complexe, la communication devient naturellement, et inévitablement, de plus en plus sophistiquée et indispensable. La communication joue dans les cultures en voie d'expansion un rôle de plus en plus important, qui consiste à transmettre des valeurs aux nouveaux membres et à confirmer ces mêmes valeurs dans l'esprit des anciens.

Les valeurs d'une entreprise sont le sang qui la

maintient en vie. Sans communication réelle, fonctionnant activement, et sans l'art d'observer attentivement, ces valeurs se perdront dans un océan de notes internes triviales et de rapports sans objet.

Il se peut qu'il n'y ait rien de plus important, dans la mesure où nous nous efforçons d'accomplir un travail intéressant et d'entretenir des relations fructueuses, que d'apprendre et de pratiquer l'art de la communication.

Chapitre 12

# DE LA GLACE ROSE DANS LES TOILETTES

Chaque année au mois d'avril, à l'occasion du Tournoi de golf des Masters d'Augusta, l'Etat de Georgie accueille une quarantaine de chefs d'entreprises industrielles américaines et étrangères et leur fait visiter l'Etat. L'objet de ce périple est d'inciter l'industrie à se fixer en Georgie. Leur proposer deux ou trois jours aux Masters est une manière très efficace d'encourager les gens à entreprendre cette tournée.

Avec les années, cette formule s'est montrée rentable. La Georgie détient un record exceptionnel de nouvelles industries implantées sur son territoire. Comme Herman Miller possède une usine à Roswell, au nord-est d'Atlanta, nous avons été invités, une année, à faire partie des entreprises chargées de l'accueil.

Bien évidemment, nous avons formé un comité dans le but de préparer l'événement. Lors d'une des discussions préalables, une personne qui n'avait aucunement l'intention de nuire suggéra, pour arranger le décor, de placer de la glace rose dans les toilettes. En dépit des bonnes intentions qui sous-tendaient cette proposition, je considère la glace rose comme un signal. Est-ce que la présence de glace rose dans les toilettes peut *réellement* favoriser l'implantation de nouvelles industries en Georgie ?

Il y a quelques mois de cela, je me trouvais dans ce qu'on appelle, dans l'industrie financière, un "dog & pony show... [1] " Notre équipe était allée à Boston pour faire une présentation devant quelques analystes distingués. Pendant la séance de questions et réponses qui suivit la présentation, l'un des analystes me demanda : "Quelle est l'une des choses les plus difficiles sur laquelle vous ayez personnellement besoin de travailler ? " Ma réponse, "L'interception de l'entropie", parut le surprendre énormément.

J'utilise le mot entropie au sens le plus large, car techniquement, cela concerne le deuxième principe de thermodynamique [2]. Du point de vue de la direction d'une entreprise, j'ai décidé d'avoir recours à ce terme qui signifie que toute chose a une tendance à se détériorer. Reconnaître les signaux d'une détérioration imminente, voilà l'une des choses importantes que doivent apprendre les dirigeants.

J'ai dressé la liste de ces signaux au cours des ans.

---

1. Réunion d'analystes. Il s'agit d'une présentation de la société à des analystes financiers qui ensuite rédigeront une étude destinée à leurs clients (N.d.T.).
2. Ou principe de Carnot.

En la lisant, gardez à l'esprit que beaucoup de gens travaillant dans de grandes entreprises adorent l'apathie. Ils sont souvent incapables de repérer les signes d'entropie :

— une tendance à la superficialité,

— une tension grave chez les gens occupant des postes clé,

— ne plus avoir de temps pour les célébrations et les fêtes traditionnelles,

— le sentiment croissant que récompenses et objectifs reviennent au même,

— lorsque les gens cessent de conter les récits de la tribu, ou ne peuvent plus les comprendre,

— lorsque certains s'efforcent, à plusieurs reprises, de convaincre les autres que les affaires, c'est finalement très simple (Accepter la complexité et l'ambiguïté, et être capable de les traiter de manière constructive, sont deux choses essentielles),

— lorsque les gens commencent à donner des sens différents à des mots tels que "responsabilité" ou "service" ou "confiance",

— lorsque ceux qui créent des problèmes deviennent plus nombreux que ceux qui les résolvent,

— lorsque les gens confondent héros et célébrités,

— les dirigeants qui cherchent à contrôler plutôt qu'à libérer,

— lorsque les pressions des tâches quotidiennes vous font oublier votre intérêt pour la clairvoyance et le risque (J'imagine que vous le savez, la clairvoyance et le risque sont absolument inséparables),

— une tendance à observer les règles arides des

écoles de commerce aux dépens d'un sens des valeurs prenant en considération des notions telles que : contribution, esprit, excellence, beauté et joie,

— lorsque les gens parlent des clients en termes de temps perdu et non d'occasions de servir,

— les manuels,

— un besoin croissant de quantifier à la fois l'histoire et les idées que l'on nourrit concernant l'avenir (Vous avez certainement rencontré des gens qui, jetant un coup d'œil à un prototype, disent : "En 1990, nos ventes atteindront les 6.493.000 dollars" — rien n'est plus catastrophique, car alors, soit vous faites en sorte que cela se produise, soit vous faites tout pour l'éviter),

— le besoin pressant d'établir des statistiques,

— les dirigeants qui comptent sur les structures plutôt que sur les gens,

— ne plus faire confiance au jugement, à l'expérience, à la sagesse,

— la disparition de la grâce, du style et de la courtoisie,

— la disparition du respect de la langue anglaise.

Si vous-même et votre entreprise avez à cœur de donner le meilleur de vous-même, méfiez-vous de la glace rose dans les toilettes.

Chapitre 13

# ET ENSUITE ?

Quelquefois, dans les affaires, l'accord entre les principes et la pratique — ou leur désaccord — saute aux yeux. La revue des performances est une de ces occasions, le moment où il faut se demander ce que nous essayons de faire, évaluer où nous en sommes et poser la question : "Et ensuite ? "

La revue des performances, correctement pratiquée, est une bonne façon d'examiner à nouveau les objectifs, de remettre en perspective les principes et les pratiques et d'évaluer les progrès réalisés. Chacun devrait le faire. La revue des performances devrait être effectuée régulièrement, avec la participation active de celui dont on examine les résultats. Les gens et les procédés devraient, les uns commes les autres, être orientés vers l'accomplissement du potentiel humain.

Pour les emplois faciles à définir et les activités faciles à évaluer, ce sont des procédures que les entreprises et les organismes ont intérêt à suivre. Mais de nombreux emplois, en particulier ceux qui impliquent la responsabilité de la direction d'une entreprise ou d'un organisme, ne sont pas nettement définis noir sur blanc et ne peuvent pas être évalués facilement. Ils doivent être examinés sur une longue durée.

Les dirigeants, en particulier, sont davantage responsables de ce qui se produira dans l'avenir que de ce qui arrive au jour le jour. Cette responsabilité est difficile à évaluer, c'est pourquoi la performance des dirigeants est difficile à évaluer. Même si nous avons besoin d'évaluer les résultats et les actions passés, c'est sur les devoirs et les performances futurs des dirigeants qu'il faut se pencher. Il est particulièrement difficile de garder à l'esprit que l'action décidée aujourd'hui par un dirigeant ne réussira ou n'échouera que d'ici plusieurs mois ou plusieurs années. La plus grande part de la performance d'un dirigeant ne peut être jugée qu'après coup.

La confiance d'aujourd'hui rend l'avenir possible. Nous rendons également l'avenir possible en pardonnant les erreurs que chacun de nous fait en vieillissant. Nous donnons à chacun la liberté d'agir dans l'avenir grâce à la confiance.

Récemment, j'ai présidé une discussion de groupe — une quinzaine de personnes environ — chez Herman Miller. Nous venions d'introduire un programme d'inventaire-gestion "à la minute". L'une des femmes présentes demanda si je comprenais ce programme, et si j'y étais impliqué. Je répondis que je ne le comprenais pas entièrement mais que j'étais impliqué dans sa réussite. Cela lui donna le temps de réfléchir. Elle essayait de trouver une manière délicate de me demander comment cela était possible.

Lorsque je lui demandai ce qu'elle faisait, elle répondit qu'elle travaillait au département d'ingénierie. " Comment cela se passe-t-il, là-bas ? " lui demandai-je. "Très bien," répondit-elle. Je lui demandai si je pouvais être tranquille quant au fonctionnement du département d'ingénierie, et elle m'assura que dans l'ensemble, je le pouvais.

Je lui demandai alors si elle était tranquille quant à la façon dont je faisais mon travail. Elle me répondit que oui. Puis, poursuivant son avantage, elle ajouta sans perdre une seconde qu'elle ne comprenait pas tout ce que je faisais. C'était assez facile pour nous, sous les yeux attentifs du groupe, d'admettre qu'il n'était pas indispensable, pour elle comme pour moi, de comprendre complètement ce que faisait, ou devait faire l'autre. Ce qui ne nous empêchait aucunement d'être entièrement concernés par le rôle et la réussite de chacun.

Le groupe s'étant mis à discuter de cette idée, nous finîmes par admettre que si la compréhension était un élément essentiel d'une activité organisée, il n'était cependant pas possible que chacun sache et comprenne tout. Ce qui suit *est* essentiel : nous devons faire confiance à chacun en ce qui concerne la responsabilité de sa propre mission. Lorsque ce genre de confiance existe, l'effet libérateur est magnifique.

La confiance ne suffit pas pour autant à rendre plus

certaine la nature de l'avenir. Mais la nature incertaine de l'avenir ne fait pas obligatoirement du métier de dirigeant une occupation totalement hasardeuse. Bien des choses qui apparaissent dans ce livre pourraient faire l'objet d'une discussion réfléchie et efficace en liaison avec la stratégie de l'entreprise. La philosophie peut, et devrait, être mise en pratique.

Un D.G. efficace examinera les performances de l'équipe de directeurs. Dans le cadre d'une relation fondée sur une convention, chaque patron doit examiner les résultats des gens qu'il dirige, et il existe indubitablement plusieurs manières de s'y prendre. Généralement, j'envoie à l'avance aux membres de mon équipe de directeurs une liste de requêtes et de questions. Tout ce qu'ils souhaitent ajouter de leur propre cru est bienvenu. Notre accord repose toujours sur ce principe : suppression de toutes les limitations.

Voici quelques requêtes que j'ai présentées à chacun de mes directeurs avant un examen des performances :

— Veuillez préparer un bref état — deux ou trois pages — des résultats que vous estimez avoir obtenus par rapport à votre plan annuel. Quelle est la réussite la plus importante dans votre secteur ?

— Veuillez préparer une déclaration, d'une page ou moins, faisant état de votre philosophie personnelle de la gestion. Décrivez vos plans personnels pour la poursuite de l'éducation et du développement au cours de l'année à venir.

— Veuillez réfléchir aux moyens pour nous d'envisager notre justification (avec plusieurs autres) pour l'avenir de l'entreprise, et notre justification commune pour votre future carrière au sein de l'entreprise. Quels changements seront rendus nécessaires compte tenu du plan de croissance que nous envisageons ?

— Dressez un état de vos pensées concernant la structure d'équipe au niveau des directeurs, en mettant le cas échéant l'accent sur l'égalité en matière de responsabilités, de possibilité de rendre compte, de rémunérations, et sur l'égalité en tant qu'élément de notre plan de succession. Quelles idées avez-vous concernant les choses sur lesquelles nous devrions réfléchir lors des réunions de directeurs ultérieures ?

— Préparez-vous à développer vos idées concernant notre concurrence, les points où il est nécessaire que nous réagissions, et la manière éventuelle de réagir. Peut-être ceci saura-t-il stimuler votre réflexion : Qui est en train de nous grignoter ? Comment les différents concurrents nous doublent-ils ? Sur les produits, les services, la capacité de vente, le marketing et la publicité, le réseau de grossistes ou les prix ?

— Veuillez me décrire comment vous considérez votre fonction, au sein d'Herman Miller, de "conteur de l'entreprise", c'est-à-dire un de ceux qui jouent un rôle actif dans la transmission de la culture de l'entreprise. Quelle est, à votre avis, la culture de notre entreprise ?

— Comment puis-je personnellement trouver davantage de temps pour me concentrer sur des questions telles que la stratégie, notre système de valeurs, la participation, la continuité et l'esprit d'équipe ?

— Veuillez identifier cinq projets clés et/ou objectifs que vous poursuivez en tant que directeur clé de Herman Miller et auxquels vous pensez que je peux apporter mon aide ou mon soutien.

Le simple fait de poser des questions est une autre donnée importante des revues de performances. Poser la bonne question est un talent qui ne s'improvise pas en un jour. Voici quelques questions que j'ai demandé à mes directeurs de considérer :

— Seriez-vous prêt à partager votre philosophie de la gestion avec votre équipe de travail ?

— Citez quelques-unes des choses que vous attendez et espérez le plus de la part du D.G. ?

— Que voulez-vous faire (être) ? Quelles mesures envisagez-vous de prendre à cet égard ?

— Qui êtes-vous ? Comment vous voyez-vous personnellement, professionnellement et dans l'entreprise ?

— Est-ce que Herman Miller a besoin de vous ?

— Avez-vous besoin de Herman Miller ?

— Que faites-vous pour concrétiser le potentiel de notre plan Scanlon sur les plans philosophique, fonctionnel et éducatif, et dans le domaine des relations humaines ?

— Si vous étiez à ma place, sur quel domaine ou question clé concentreriez-vous votre attention ?

— Dans quels secteurs importants de l'entreprise avez-vous l'impression de pouvoir apporter une contribution tout en sentant que vous n'avez pas l'occasion de vous y faire entendre ?

— Qu'avez-vous laissé tomber ?

— Avez-vous un sentiment d'échec dans un domaine particulier ?

— Quelles sont les deux choses que nous devrions faire pour devenir une très grande société ?

— Qu'est-ce que la grâce devrait nous donner la possibilité d'être ?

— Que ferez-vous, au cours de l'année à venir, pour contribuer à l'épanouissement des trois personnes de votre entourage qui ont le plus grand potentiel (et qui sont-elles) ?

— Au cours de l'année passée, qu'est-ce qui, du point de vue de l'intégrité, vous a le plus touché personnellement, professionnellement et au niveau de l'entreprise ?

— Quels sont les trois signes d'entropie imminente que vous pouvez constater chez Herman Miller ? Que faites-vous pour y remédier ?

— Donnez trois exemples de synergie prometteuse dans votre domaine. Comment pouvons-nous les mettre à profit ?

Au fond, je pense qu'il est profitable de tenir compte des points de vue des autres dirigeants, même s'ils ne travaillent pas dans le même secteur. Mahatma Gandhi a écrit un jour qu'il y avait sept péchés sur cette terre : la richesse sans travail ; le plaisir sans conscience ; la connaissance sans caractère ; le commerce sans moralité ; la science sans humanité ; l'adoration sans sacrifice ; la politique sans principes. Si l'on considère la performance individuelle à la lumière de ces sept péchés, son examen sera forcément fructueux.

Chapitre 14

# QUELQUES PENSEES A L'USAGE DES D. G. CONSTRUCTEURS

Comment transforme-t-on des déclarations verbales et souvent abstraites en acier et en pierre ? Nous connaissons tous la façon dont les Grecs et les Romains de l'Antiquité ont laissé les traces de leur culture dans l'architecture. Les Mayas ont également exprimé leur culture par des constructions reconnaissables. On peut dire, pour simplifier, que l'architecture illustre les relations des hommes et de leur environnement. En tant qu'entreprise, Herman Miller est quotidiennement concernée par cette relation.

Réfléchissant aux équipements et à leurs relations avec la culture des entreprises, j'ai ouvert mon dictionnaire au mot "culture" et sélectionné cette définition parmi plusieurs autres, qui concernaient pour la plupart la biologie : "Un état ou un stade particulier de civilisation." A mon avis, cette définition s'applique assez bien à l'idée de culture d'une entreprise, tout en laissant une question non résolue : devons-nous considérer les équipements fabriqués par l'homme en termes d'état ou de stade de civilisation ?

L'une des meilleures méthodes, quand on essaie de résoudre un problème, consiste à se poser des questions. En voici quelques-unes, quant aux lieux physiques et aux lieux sociaux. Ces questions m'incitent à envisager le lieu de travail sous plusieurs angles :

— Ce que je fais est-il important ?

— Ce que je fais change-t-il quoi que ce soit pour quiconque ?

— Pourquoi devrais-je venir ici ?

— Puis-je être quelqu'un ici ?

— Ai-je une bonne raison d'être ici ?

— Puis-je "posséder" cet endroit ?

— Ai-je des droits ?

— Est-ce que le fait de venir ici enrichit ma vie de quelque façon ?

— Puis-je apprendre quelque chose ici ?

— Pourrais-je montrer cet endroit à ma famille, ai-je honte de le lui montrer, ou est-ce simplement sans importance ?

— Y a-t-il ici quelqu'un en qui je puisse avoir confiance ?

— Mon influence s'exerce-t-elle sur ce lieu ?

— Est-il utile d'envisager l'architecture comme un moyen de répondre aux besoins d'une société ?

L'environnement physique compte énormément, mais pas autant que l'environnement directorial. L'environnement physique semble plutôt la conséquence de certains éléments de l'environnement directorial. Dans ce sens, l'équipement reflétera le contexte d'une entreprise, de ses dirigeants et de ses valeurs.

A une époque de détresse financière tant pour l'économie que pour l'entreprise, un employé actionnaire de Herman Miller demanda pourquoi nous avions dépensé tellement d'argent pour les trois étangs entourant notre siège social de Zeeland, dans le Michigan. En d'autres termes, cet homme demandait en quoi ces étangs reflétaient notre société et ses valeurs, question qu'il était parfaitement en droit de poser.

Les constructions n'existent pas dans le vide, pas plus que ces trois étangs. Ils ont été aménagés pour recueillir les eaux s'écoulant des toits de nos bâtiments, pour éviter l'inondation des terrains de nos voisins, pour satisfaire à la réglementation locale d'utilisation des sols. Ils fournissent une réserve d'eau à portée de main en cas d'incendie. Ils constituent un embellissement de notre territoire. Nous organisons même un pique-nique d'entreprise sur leurs rives.

Ces étangs, qui ne sont qu'une petite partie des équipements de Herman Miller, reflètent la position de notre société face aux affaires, à notre communauté et à nos employés. Tous les équipements devraient avoir le même sens, dans leur propre contexte. Mais les équipements devraient à leur tour créer un contexte pour un état ou un stade de civilisation de l'entreprise.

Les installations peuvent prétendre à certaines qualités qui sont l'expression d'une civilisation. Certaines de ces qualités sont immédiatement apparentes, d'autres pas.

Une installation devrait être un endroit que les gens peuvent posséder. Prendre possession de l'installation où nous travaillons est étroitement lié à l'idée de propriété de l'entreprise. Il existe après tout une différence fondamentale entre les propriétaires et les locataires. Il est juste de dire que les locataires sont des propriétaires sans torts.

Les installations devraient donner aux gens la possibilité et le pouvoir de faire de leur mieux. Les installations, comme les directeurs, devraient être vulnérables. Elles devraient encourager un meilleur niveau de connaissance de la vie de l'entreprise : que chacun soit instruit des affaires, de la concurrence, des relations humaines et de l'actionnariat. Nos installations doivent favoriser des communications sans restrictions.

Une installation devrait être un lieu de potentiel réalisé. Ce devrait être un lieu de “contacts privilégiés”. Un lieu où nous mettons d'une manière efficace et humaine les gens en contact les uns avec les autres, et avec la technologie.

Maintenant que j'ai dit toutes ces choses — certaines relevant de la philosophie, d'autres du sens pratique — au sujet des installations et de la culture de l'entreprise, comment puis-je être plus spécifique ? C'est indispensable. Nous devrions avoir pour objectif de créer un environnement qui :

— encourage une communauté ouverte et des rencontres fortuites,

— soit accueillant pour tous,

— soit agréable à l'utilisateur,

— évolue avec grâce,

— soit à l'échelle humaine,

— convienne à l'activité humaine,

— pardonne les erreurs de planification,

— permette à cette communauté (dans la mesure où un environnement en est capable) d'atteindre en permanence son potentiel,

— offre une contribution de qualité esthétique et humaine au paysage,

— réponde aux besoins que nous percevons,

— soit ouvert à la surprise,

— résiste confortablement aux situations de conflit,

— soit souple, sans chichis et non monumental.

Il est important que nous soyons les gardiens prudents des actifs de la société mais en même temps que nous évitions d'épargner si c'est aux dépens d'une bonne planification à long terme et d'un environnement de qualité.

Il est important que nous gardions ouvertes les options de l'avenir. Ceci va demander une véritable discipline car l'envie de tout définir très clairement, tant que c'est possible, est toujours forte.

Il est important que chacun comprenne le contexte dans lequel fonctionnent nos installations, ainsi que le contexte et les valeurs qu'elles créent pour nous.

Il est important que nous évitions de nous engager

excessivement, ou de réagir avec rigidité, face à une seule fonction ou un seul besoin. Comme l'expérience nous l'a montré, nous avons besoin que divers schémas d'utilisation nous soient offerts, et nous avons besoin de possibilités de croissance sans limites définies. L'un de nos objectifs est de construire la *construction indéterminée.*

Un autre objectif est de poser les bonnes questions concernant les installations. C'est probablement Bucky Fuller qui a le mieux réussi à cet égard.

Buckminster Fuller, philosophe, inventeur et styliste (je n'ai jamais vraiment su comment il fallait qualifier Bucky !) visitait un nouveau bâtiment récemment construit par l'excellent architecte Norman Foster dans la campagne anglaise. Norman s'était soigneusement préparé pour cette visite et avait demandé aux membres de son équipe d'être prêts à répondre à toutes les questions que Bucky pourrait bien leur poser. En s'approchant avec Bucky du bâtiment, qui avait l'air d'un énorme magma de lave déposé par un hélicoptère géant dans la prairie, Norman se remémora toutes les questions, sous tous les angles.

Bucky garda le silence pendant qu'ils traversaient l'impressionnante construction. Puis il se tourna vers Norman et, le transperçant de son regard franc et pétillant, il demanda simplement : "Combien cela pèse-t-il ?"

Chapitre 15

# POUR OBTENIR UN VICE-PRESIDENT, BIEN MELANGER...

L'art de diriger une entreprise repose en grande partie sur l'avenir, sur l'aptitude à préparer l'avenir de l'organisation, à implanter et éduquer d'autres dirigeants qui se préoccuperont de l'avenir de celle-ci plus que du leur. Ces dirigeants futurs, à un moment donné de leur carrière, reçoivent le titre de vice-président. Ils jouent un rôle important dans les activités quotidiennes d'une entreprise ou d'une institution, mais surtout, leur avenir est vital pour celui du groupe. Il n'est pas facile de choisir un vice-président quand on a conscience de toutes ces données.

Il y a de cela quelques années, confronté à la tâche de choisir plusieurs vice-présidents, j'ai rédigé une note à l'intention de mon équipe directoriale. Les décisions qu'il faut prendre au moment de choisir des vice-présidents importent autant pour les individus concernés que pour l'entreprise. Car ce faisant, non seulement nous imposons un ton et une direction à la gestion et à la compétence des dirigeants, mais nous prenons très spécifiquement position sur l'héritage que nous allons laisser.

Ayant ceci en tête, j'ai suggéré les trois ordres d'idées qu'il fallait aborder pour affronter cette mission importante :

Premièrement, l'entreprise a besoin que les dirigeants qui prennent cette décision respectent un certain nombre de choses. L'entreprise requiert :

— que le poste de vice-président soit indubitablement doté de responsabilités et d'une obligation de justification au niveau directorial,
— que la création de ce poste signifie clairement à l'entreprise que cette responsabilité existe, et qu'elle est importante pour son avenir,
— que la personne qui occupera ce poste se montre non seulement capable de performances et de réussites personnelles, mais aussi de progresser et de rendre régulièrement compte de son action,
— que cette nomination relève davantage de l'espérance et du défi que de la récompense personnelle, professionnelle et hiérarchique,
— que nous nous expliquions en détail, devant l'organisation, pour chaque nomination.

Deuxièmement, l'organisation requiert un certain nombre de choses de ceux qui sont choisis pour devenir éventuellement de futurs dirigeants. Ces individus doivent être dotés de certaines caractéristiques pour faire face à leurs responsabilités : ils doivent posséder des traits de caractères que l'on devrait retrouver chez tous les dirigeants, et dont nous avons parlé dans ce livre. Un futur dirigeant :

— est d'une intégrité constante et fiable,
— est attaché à l'hétérogénéité et à la diversité,
— recherche la compétence,
— est ouvert aux opinions différentes de la sienne,
— communique facilement à tous les niveaux,
— comprend, et milite régulièrement pour, le concept d'équité,
— dirige tout en servant,
— est sensible aux talents et aux particularités des autres,
— a une connaissance intime de l'organisation et de son travail,
— est capable de considérer l'ensemble du tableau (au-delà de son champ de vision personnel),
— est un porte-parole et un diplomate,
— peut faire office de conteur tribal (moyen de transmission indispensable de la culture de notre entreprise),
— dit *pourquoi* plutôt que *comment*.

Troisièmement, non content d'être un porte-parole de notre organisation, le nouveau vice-président devrait être imprégné de nos valeurs fondamentales. Il ou elle devrait être capable de se faire l'avocat du caractère unique de Herman Miller devant le monde entier aussi bien qu'à l'intérieur de l'entreprise. Le candidat devrait comprendre, et défendre :

— le système de valeurs de l'entreprise,
— le bon style (sous toutes ses formes),
— la gestion reposant sur la participation,
— l'expression humaine et éthique du caractère de cette entreprise.

Depuis que j'ai fait circuler cette note, plusieurs de mes collaborateurs ont suggéré d'autres idées à prendre en considération dans le choix de nouveaux vice-présidents. Ces ajouts sont le fruit d'expériences diverses. Certains, comme le disait l'un d'eux, viennent "de ce qu'on s'est brûlé les ailes." Voici leurs observations :

— le seul type de dirigeant qui mérite d'être suivi est celui qui a une vision d'ensemble,
— son caractère doit être exceptionnel,
— si nous devons demander à quelqu'un de nous diriger, pouvons-nous déterminer à l'avance si il, ou elle, établit une distinction entre la croyance et la pratique, le travail et la famille ?
— Quand on parle de la direction de l'entreprise, on finit toujours par parler de l'avenir, de l'héritage que l'on laisse, de ceux qui vous suivent. En d'autres termes, diriger est étroitement lié aux deux aspects les plus importants d'une organisation : ses employés et son avenir. Nous devons par conséquent agir très lentement, et avec le plus grand soin.

— En choisissant des responsables, il faut prévoir l'éventualité d'un échec et d'un retrait sans heurts. La promotion à un poste de responsabilité doit être décidée en groupe, avec une majorité confortable. Le choix doit être effectué en parfait accord, sans la moindre restriction. Après tout, étant donné la façon dont nous faisons circuler les directeurs, vous pouvez tout aussi bien hériter d'une équipe que vous ne pouvez pas, ou ne voulez pas diriger.

— Que pense le médecin d'entreprise du candidat ?

— Quelle opinion les pairs du candidat ont-ils de lui ?

— Iriez-vous chercher cette personne pour occuper une position clé dans une importante mission temporaire ?

Ces ajouts ne sont pas négligeables. Choisir des dirigeants est la question la plus vitale et la plus importante que les sociétés et les institutions aient à résoudre. Quelles autres caractéristiques du bon dirigeant envisagez-vous ?

Chapitre 16

# POURQUOI DEVRAIS-JE PLEURER ?

Est-ce que les hommes pleurent ? Bien sûr. Les hommes devraient-ils pleurer ? Evidemment. Quiconque est aux prises avec la réalité de ce monde sait qu'il existe beaucoup de raisons de pleurer. Nous pleurons pour les victoires et pour les tragédies. La plupart des personnes estimables pleurent devant les actions admirables et les actions déplorables.

Certains diront "Pourquoi Max pleurerait-il ? Il est à la fois le président et le directeur général. Quels problèmes peut-il bien avoir ?" Eh bien, mes joies et mes malheurs ne sont peut être pas les mêmes que ceux des autres, mais cela ne les rend pas moins réels pour autant, vous pouvez me croire. Laissez-moi vous confier une bonne occasion que j'ai eue de pleurer, récemment.

Nos directeurs et nos cadres supérieurs, soit environ soixante à soixante-dix personnes, se retrouvent chaque trimestre pour passer en revue les résultats, discuter des plans, examiner des idées et des perspectives.

Peu de temps avant l'une de ces réunions, j'avais reçu une lettre magnifique de la mère d'un de nos employés handicapés. C'était une émouvante lettre de remerciements pour les efforts déployés par beaucoup de gens, chez Herman Miller, pour rendre riche et fructueuse la vie de quelqu'un que le sort a particulièrement désavantagé. Dans la mesure où nous nous efforçons fortement, quoique discrètement, de donner dans cette entreprise des moyens aux défavorisés et de reconnaître l'authenticité de chaque membre du groupe, il me parut judicieux de lire cette lettre aux cadres supérieurs et aux directeurs.

J'en ai lu la plus grande partie, mais n'ai pas pu terminer. Je me suis retrouvé là, debout devant ce groupe, dont certains membres n'étaient pas des tendres, la gorge serrée, gêné, incapable de poursuivre. A ce moment-là, l'un de nos plus éminents vice-présidents, Joe Schwartz, un homme civilisé, élégant et évolué, s'est avancé dans l'allée centrale, a passé un bras autour de mes épaules, m'a embrassé sur la joue et a suspendu la séance.

Des occasions de pleurer comme celle-ci, nous n'en avons pas suffisamment. Il existe malheureusement un autre genre de larmes. Il y a quelques années, l'un de nos directeurs les plus compétents a quitté notre siège social pour aller diriger une importante usine dans une grande ville. Nous souhaitions lui apporter toute l'aide nécessaire. L'un de nos responsables lui demanda de quoi il aurait besoin. Le directeur lui répondit : “Dites aux gens de la direction, quand je les appellerai, de prendre la communication et de ne pas me traiter comme un client."

Ce genre de chose vous fait pleurer.

Il existe, j'imagine, beaucoup de gens qui ne pleurent pas. Pourquoi ? Ces gens n'ont pas de liens intimes avec leur travail. Ils n'essaient probablement pas de réaliser leur potentiel. Ils doivent se dire qu'ils ne peuvent pas échouer. Ils ne sont pas en accord avec leur groupe.

Il y a des gens qui versent des larmes différentes de celles dont je viens de vous parler. Ce sont des larmes de dépit et de chagrin. Ces larmes-là, nous pouvons nous en passer.

Sur quoi pleurons-nous ? Sur quoi devrions-nous pleurer ? Arrivés au point où nous en sommes, après ce que vous avez lu, vous allez sans doute deviner que je vais établir une liste. Voici un certain nombre de choses sur lesquelles nous devrions probablement pleurer :

— la superficialité,
— le manque de dignité,
— l'injustice, le défaut qui fait obstacle à l'équité,
— les grandes nouvelles !
— la tendresse,
— un remerciement,
— la séparation,
— l'arrogance,
— la trahison des idées, des principes, de la qualité,
— le jargon, car il rend les choses plus confuses, et non plus claires,
— considérer la clientèle comme une interruption,

— les dirigeants qui surveillent les résultats sans regarder le comportement,

— l'incapacité de certains à distinguer un héros d'une célébrité,

— ne pas faire la différence entre plaisir et signification,

— les dirigeants qui ne disent jamais “merci”,

— devoir travailler à un poste où l'on n'est pas libre de faire de son mieux,

— les gens de valeur qui essaient de suivre des patrons qui accordent plus d'importance à la politique et à la hiérarchie qu'à la confiance et à la compétence,

— les gens qui sont des cadeaux pour l'esprit.

Il serait facile d'ajouter certains éléments figurant sur la liste des signes d'entropie dans “De la glace rose dans les toilettes”. Qu'aimeriez-vous ajouter ? Sur quoi devriez-vous pleurer ?

Chapitre 17

# LES SIGNES DE L'ELEGANCE

Il y a quelques années, ma femme, un autre couple et moi-même avons passé nos vacances en Angleterre et en Ecosse. Un soir, nous roulions le long de la côte pour rejoindre un petit village avec l'intention de dîner au pub. La route longeait une étendue d'eau dont nous ne pouvions dire avec certitude s'il s'agissait de la Manche ou de l'estuaire de Falmouth, où l'Invincible Armada espagnole fut écrasée. Nous débattions la question dans la voiture lorsqu'apparurent sous nos yeux deux femmes et un enfant qui marchaient sur le bas-côté. Je dis alors à mon ami : "Arrête-toi, John, que je demande à ces dames si c'est bien la Manche", ce qu'il fit. J'abaissai la vitre et demandai : "Excusez-moi, madame, est-ce que ceci est la Manche ?" La femme jeta un coup d'œil rapide par-dessus son épaule et répondit : "Eh bien, c'en est une partie."

La plupart du temps, en nous observant nous-mêmes

ou en observant les autres, nous ne voyons qu'une partie des gens. La mesure des individus — et il en va de même pour les entreprises — c'est la limite vers laquelle nous luttons pour nous accomplir, l'énergie que nous consacrons à l'épanouissement de notre potentiel. Une entreprise élégante libère ses membres pour qu'ils donnent le meilleur d'eux-mêmes. Des dirigeants élégants libèrent ceux qu'ils dirigent pour qu'ils fassent de même.

Malheureusement, comme dans l'exemple où je me suis exprimé avec imprécision, nous confondons fréquemment le détail et l'ensemble. Et ceci est hélas souvent le cas dans les affaires. De fortes pressions s'exercent afin que nous prenions à tort un détail pour l'ensemble, humainement autant que financièrement.

Au bureau et à l'usine, nous ne voyons que des aspects des gens. Mais, ainsi que mon père a pu le constater dans le cas du chauffagiste, un personnage que j'ai mentionné dans le premier chapitre, les aspects des gens que nous voyons dans le contexte du travail ne nous donnent qu'une faible idée de ce qu'ils sont réellement.

De la même manière, en jetant un bref coup d'œil à la position financière d'une société ou en se fiant à des résultats financiers récents, on risque d'avoir une vue partiale, sinon faussée, de l'ensemble de la situation. Il se peut qu'un élément crucial n'apparaisse pas. Il est possible que nous ne courions pas sur toute la longueur de l'épreuve. L'un des mes amis disait d'un collègue qu'il était “capable de courir superbement sur quatre-vingt-quinze mètres”. Voilà un talent dont je me passerais bien. Ne pas courir sur les cinq derniers mètres ôte tout intérêt au fait d'avoir couvert les quatre-vint-quinze premiers.

Une fois de plus, je me suis aperçu de mon insuffisance quand quelqu'un m'a démontré que je ne voyais qu'une partie du tableau. Curt Shosten, un assembleur de planches de Herman Miller, m'ayant entendu raconter l'histoire du sprinter sur quatre-vingt-quinze mètres, m'écrivit pour me donner une version complète de l'histoire. Il m'expliqua que les coureurs sérieux considèrent le cent mètres comme une course de *110 mètres*, de façon que personne ne puisse les dépasser dans les cinq derniers mètres. Voilà qui complète joliment l'anecdote. Penser au-delà de l'ensemble.

On confond fréquemment le détail et le tout. Les idées sont considérées comme achevées quand elles ne le sont pas. Les relations sont jugées bien établies alors quelles le sont insuffisamment. Les valeurs sont considérées comme des positions définitives alors qu'elles ne sont que des commencements. Si les parties de l'ensemble étaient reconnues pour ce qu'elles sont, et si nous pouvions travailler en vue de les compléter — si nous ne cessions, personnellement, de "devenir" — nous nous porterions mieux en tant qu'individus, qu'entreprises et qu'institutions.

Les dirigeants élégants ont toujours à cœur d'accomplir. Quelles peuvent être les signes de l'élégance ? Qu'est-ce que les dirigeants devraient rechercher dans leur effort pour libérer les sujets à potentiel élevé ? Les idées qui suivent font partie des choses qu'il faut comprendre pour devenir un dirigeant élégant :

— Les contrats ne forment qu'une petite partie des relations. Une relation complète implique une convention.

— L'intelligence et l'éducation peuvent déterminer les faits. La sagesse peut découvrir la vérité. La vie d'une entreprise a besoin des unes et de l'autre.

— Faire don de son temps ne signifie pas toujours s'engager.

— La hiérarchie et l'égalité ne s'excluent pas obligatoirement. La hiérachie fournit les liens. L'égalité permet à la hiérarchie de réagir rapidement et d'être responsable.

— Sans le pardon, on ne peut être réellement libre d'agir au sein d'un groupe.

— La chance de réussir doit toujours être liée à la possibilité de rendre compte. Il ne s'agit pas d'une notion désespérément idéaliste. Sans la perspective d'avoir à rendre compte de ses actes, il n'existe ni véritables chances à saisir ni véritables risques. Sans de véritables chances à saisir et de véritables risques, on ne risque pas non plus d'avoir à rendre compte.

Une baleine est aussi unique qu'un cactus. Mais ne demandez pas à une baleine de survivre dans la vallée de la Mort. Chacun de nous a ses dons spécifiques. L'endroit où nous les mettons en pratique, et la manière de les appliquer, déterminent si nous sommes ou non en train d'accomplir quelque chose.

Les objectifs et les récompenses ne sont que des parties, des parties distinctes, de l'activité humaine. Lorsque les récompenses deviennent nos objectifs, nous ne poursuivons qu'une partie de notre travail. Les objectifs doivent être poursuivis. Dans des relations saines et rationnelles, les récompenses complètent le processus en apportant de la joie. La joie est un ingrédient indispensable du commandement. Les dirigeants sont dans l'obligation de la fournir.

Voici, selon moi, les signes de l'élégance. D'une certaine manière, écrire ce livre est ma façon d'accomplir, d'essayer de faire de mon mieux. Ce que j'espère, bien entendu, est que certaines des réflexions abordées dans cet ouvrage vous aideront à être ce que vous pouvez être.

Pour l'instant, j'espère qu'en écrivant et lisant ce livre ensemble, nous avons établi un certain type de relation. J'espère que certaines de mes remarques ont provoqué des réactions de votre part, et que vous avez beaucoup lu et beaucoup écrit entre les lignes. Notre quête d'élégance, d'accomplissement, de réalisation de notre potentiel, ne devrait jamais s'achever. Quelle magnifique perspective !

# POST SCRIPTUM

Mon introduction se terminait avec une histoire de colonnes trop hautes. J'aimerais, pour conclure ce livre, vous conter une histoire de colonnes trop courtes — intentionnellement.

Sir Christopher Wren, fameux architecte anglais, construisit un jour un bâtiment à Londres. Ses clients affirmèrent que certaine portée était trop longue et qu'il faudrait une autre rangée de colonnes pour la soutenir. Sir Christopher, après en avoir longuement discuté, finit par céder. Il ajouta la rangée de colonnes, mais en laissant un vide entre le haut des colonnes superflues et les poutres qu'elles étaient censées soutenir.

D'en bas, ses distingués commanditaires londoniens ne pouvaient pas voir cet espace vide. A ce jour, la poutre ne s'est pas encore affaissée. Les colonnes se dressent bien droites, ne soutenant rien d'autre que la conviction de Wren.

Diriger est davantage un art, une croyance et un état d'esprit qu'une liste de choses à faire. Les signes visibles du bon art de diriger s'expriment finalement dans sa pratique.

IMPRIMERIE FRANCE QUERCY - CAHORS
N° d'impression : 11036FF — Dépôt légal : février 1990
*Imprimé en France*
5e édition